Olga Balboa Sánchez

Montserrat Varela Navarro

Claudia Teissier de Wanner

IMPRESIONES A1

Cuaderno de ejercicios

Español Lengua Extranjera

SGEL

IMPRESIONES A1
Cuaderno de ejercicios

Primera edición: 2018
Produce: SGEL - Educación
Avda. Valdelaparra, 29
28108 Alcobendas (Madrid)

Autoras
Olga Balboa Sánchez, Montserrat Varela Navarro y
Claudia Teissier de Wanner

Asesoramiento didáctico
Paloma García-Amorena, Burkhard Flottmann,
Lucy Lachenmaier y Remedios Nowak

Diseño de cubierta: Sieveking Agentur
Ilustraciones: Mascha Greune
Maquetación y composición: Sieveking Agentur
Editoras: Esther Douterelo Fernández, Cornelia Kentmann

© 2017 Editorial Hueber GmbH & Co. KG, München, Deutschland

De esta edición:
Director editorial: Javier Lahuerta
Coordinador editorial: Jaime Corpas
Edición: Mise García
Maquetación: Leticia Delgado
Cubierta: Violeta Cabal
Corrección: Sheila Lastra

© Sociedad General Española de Librería, S. A., 2018

ISBN: 978-84-9778-953-0
Depósito legal: M-1514-2018
Printed in Spain - Impreso en España
Impresión: Gómez Aparicio Grupo Gráfico

ÍNDICE

CUADERNO DE EJERCICIOS

Este cuaderno de ejercicios amplía los contenidos del libro del alumno. La estructura de cada unidad es la siguiente:

EJERCICIOS
En esta parte se encuentran los ejercicios adecuados para la práctica de los contenidos tratados en la unidad.

MIS PALABRAS
Una sección en la que se incluyen diferentes ejercicios para que el alumno consolide el vocabulario trabajado en la unidad.

SONIDOS DEL ESPAÑOL
En cada unidad del cuaderno aparecen ejercicios de pronunciación de sonidos concretos del español, de entonación de palabras y de frases, así como ejercicios que registran las diferencias de pronunciación en España y en Latinoamérica.

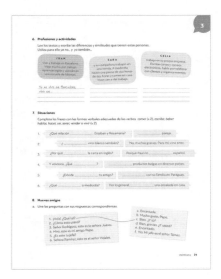

MIS AVANCES EN LA LENGUA
En esta parte el estudiante puede visualizar su progresión en el aprendizaje y tomar conciencia de lo aprendido al final de cada unidad.

MI CARPETA DE TEXTOS
Al final de cada unidad, el estudiante redacta un pequeño texto que le permite utilizar de forma práctica lo aprendido y retenerlo. Con todos estos textos, el estudiante creará al final del curso su pequeño portfolio, que le servirá para documentar sus avances.

TEST
Se cierra la unidad con un test con preguntas de opción múltiple para evaluar los conocimientos que el alumno ha adquirido.

TRANSCRIPCIONES Y SOLUCIONES
Al final del cuaderno se incluyen las transcripciones de los audios y las soluciones de los ejercicios.

HOLA, ¿QUÉ TAL?

1. Vamos a la Casa de Cultura Latina

¿Qué actividades se pueden hacer en la Casa de Cultura Latina?

| Ruinas mayas | Conciertos de música española | Especialidades gastronómicas | Playas del Caribe |

_____ _____ _____ _____

2. ¿Qué significa?

Seguro que conoces algunas palabras españolas. Escribe cinco. En la próxima clase pregúntale a tu compañero el significado de sus palabras.

Mis cinco palabras: _____

Las cinco palabras de mi compañero/-a: _____

¿Qué significa _amor_ ? _Amor_ significa _love_ .

3. Los números del 0 al 10

Escribe el nombre de los números en español que correspondan a los números mayas. Escribe también los números mayas 3 y 8.

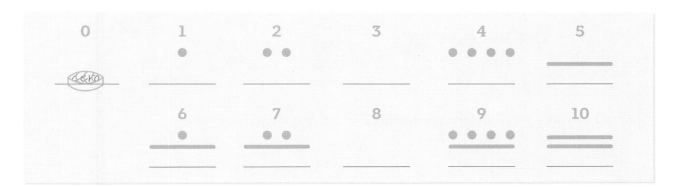

0	1	2	3	4	5
cero					

6	7	8	9	10

4. La lotería

Vamos a jugar a la lotería. Escoge una papeleta. Escucha con atención y anota cuál es la papeleta ganadora. ¿Es tu papeleta? 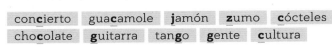 1

5. ¿Cómo se pronuncia?

a. Escucha y repite las palabras. ▶ 2

| con**c**ierto | gua**c**amole | **j**amón | **z**umo | **c**ócteles |
| cho**c**olate | **g**uitarra | tan**g**o | **g**ente | **c**ultura |

b. Ordena las palabras del ejercicio **5a** en la categoría correspondiente. Escribe para cada categoría un ejemplo más.

za/zo/zu ce/ci	ca/co/cu que/qui	ge/gi j + vocal	ga/go/gu gue/gui
Cecilia	_Carlos_	_Jorge_	_Gabriela_
_____	_____	_____	_____
_____	_____	_____	_____
_____	_____	_____	_____
_____	_____	_____	_____

6. ¡Buenos días!

Completa los siguientes saludos con las letras que faltan.

¡Ch_a_o! H___la, ¿qué t___l? Buen___s tardes. Adi___s. Buen___s días.
¡H___sta ma___ana! Buen___s noches. ¡Hasta lu___go!

7. Mis verbos

a. Une con líneas los pronombres personales con las formas correspondientes del verbo _ser_. Una forma verbal puede valer para varios pronombres.

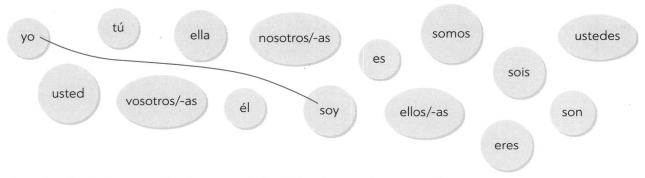

b. Completa los diálogos con las formas verbales del verbo _ser_ y los pronombres.

1. ● Hola, yo _____ Fernando.
   ▲ Hola, ¿qué tal?_____ me llamo Ana.

2. ● ¿De dónde _____ ustedes?
   ▲ Nosotros _____ de Innsbruck.

3. ● Tú _____ Luis, ¿verdad?
   ▲ Sí. Y _____, ¿cómo te llamas?

4. ● Vosotras _____ de Bilbao, ¿no?
   ▲ No. Yo _____ de Madrid y Ana _____ de Cádiz.

8. Sopa de letras

Escribe las letras de la taza al lado de su nombre y completa
con ellas la oferta gastronómica.

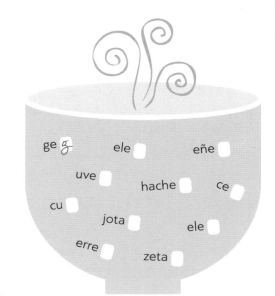

torti___ ___a   ___amón serrano

*g*uacamole

te___uila   ___inos c___ilenos

pi___a colada

___umos y có___teles de f___utas sin alcohol

ge *g*   ele ☐   eñe ☐

uve ☐   hache   ce ☐

cu ☐   jota   ele ☐

erre   zeta ☐

9. ¿Cómo se llama la chica?

¿Quieres saberlo? Escucha las palabras y escríbelas:
las letras que están en los recuadros forman su nombre. ▶ 3

1. ☐ ___ ___ ___ ___
2. ___ ___ ___ ___ ___ ___ ___ ☐
3. ___ ___ ☐ ___ ___ ___
4. ___ ___ ___ ___ ☐ ___ ___ ___ ___
5. ___ ___ ___ ___ ☐ ___ ___ ___ ___

¡Hola! Yo me llamo

___ ___ ___ ___ ___

10. Nuevos contactos

a. Completa los siguientes diálogos con las palabras que faltan.

Nombre: Juan Pablo
Apellido: Zamora
Ciudad: Lima
Teléfono: (511) 478 2916
Correo electrónico:
jpzum@hotmail.com

Nombre: Marisa
Apellido: Sandoval
Ciudad: Mendoza
Teléfono: (261) 257 4693
Correo electrónico:
chiquis@red1.com

- ● Hola, buenos _____. Soy Juan Pablo _____. Y usted, ¿cómo se llama?
- ▲ Buenos días. Yo soy Marisa _____.
- ● Mucho gusto. ¿Es usted de Buenos Aires?
- ▲ No, soy de _____. ¿Y de _____ es usted?
- ● Soy de _____.
- ▲ ¡Qué interesante! Yo visito Lima pronto.
- ● ¡Qué bien! Mire, mi teléfono es el _____. Marisa, ¿y _____ es su número de teléfono?
- ▲ Es el (261) 257 4693. Y mi _____ de correo electrónico es _____.
- ● ¡Estupendo! Gracias.

b. Escucha el diálogo y comprueba. ▶ 4

Mis palabras

11. Los sustantivos

Escribe las palabras en la categoría correspondiente y completa el resto de las formas. Añade más palabras que conozcas.

~~tortilla~~   concierto   guacamole   jamón   zumo   ~~cócteles~~   frutas
ruinas   chocolate   guitarra   tango   noche   cultura   ciudad

♂ Singular	♂ Plural	♀ Singular	♀ Plural
el cóctel	los cócteles	la tortilla	las tortillas

12. Preguntas y respuestas

Completa las preguntas con *qué*, *cómo* (x 3), *dónde* o *cuál*. Une después las preguntas y las respuestas.

1. ¿_____ significa "gato"?
2. ¿_____ se pronuncia la letra "eñe"?
3. ¿De _____ eres?
4. ¿_____ te llamas?
5. ¿_____ es tu número de teléfono?
6. ¿_____ se escribe 4, con "ce" o con "cu"?
7. ¿_____ es tu correo electrónico?

Joaquín, ¿y tú?
Soy de Zaragoza.
"Ñ", como en España.
Significa *cat*.
Se escribe con "ce".
joaquinzara@hotmail.es
Es el 486 01 56.

13. ¿Cultura o comida?

Clasifica las siguientes palabras.

monumento   jamón   música   tango   tacos   zumo   tortilla   chocolate   queso   ruinas
guitarra   teatro   museo   piña   biblioteca   concierto   fruta   paella   televisión

Cultura	Comida

14. Palabras relacionadas

Relaciona las siguientes palabras.

1 correo		a. teléfono	
2 nombre y		b. electrónico	
3 número de		c. salsa	
4 música		d. apellido	
5 curso de		e. Caribe	
6 ruinas		f. española	
7 playas del		g. mayas	
8 uve		h. fotos	
9 piña		i. doble	
10 exposición de		j. colada	

15. Busca palabras

¿Qué diez palabras en español son importantes para ti? Búscalas en el diccionario, escríbelas y después compártelas con tu compañero.

1. _____
2. _____
3. _____
4. _____
5. _____
6. _____
7. _____
8. _____
9. _____
10. _____

Sonidos del español

16. La acentuación de las palabras

a. ¡El sonido del español es único! Escucha las palabras y marca dónde van acentuadas. ▶ 5

parejas	mundo	español	enlace	número	plural	saludos	mujer
teléfono	música	imagen	singular	importante	electrónico		

b. Las sílabas se cuentan de atrás hacia delante: última, penúltima... Escribe las palabras del ejercicio **16a** donde correspondan según el acento y completa la regla.

●●● acento en la última sílaba	●●● acento en la penúltima sílaba	●●● acento en la antepenúltima sílaba
español	mundo	número

► Las palabras terminadas en **vocal**, **-n** o **-s** que se pronuncian con acento en la última sílaba llevan tilde: *Perú, jamón, Andrés...*

► Las palabras terminadas en **consonante** (salvo **-n** o **-s**) que se pronuncian con acento en la penúltima sílaba llevan tilde: *cóndor, móvil...*

► Las palabras que se pronuncian con acento en la antepenúltima sílaba llevan todas tilde: *teléfono, música...*

Mis avances en la lengua

Cuando se aprende una nueva lengua, con frecuencia es difícil comprobar que se avanza. Lo podemos comprobar al hablar o al escribir. Por eso es importante de vez en cuando pensar en la lengua. ¡En esta sección puedes ver tus avances!

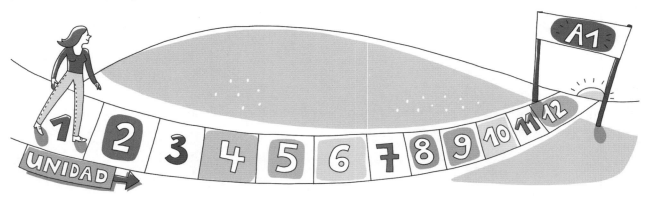

Sé...

🍃 Preguntar por el nombre de alguien y responder a la misma pregunta.
¿Cómo _____? Me llamo _____.

🍃 Preguntar por la procedencia o la nacionalidad y responder.
¿De dónde _____? Soy _____.

🍃 Preguntar por el número de teléfono y el correo electrónico y responder.
¿Cuál es _____? Es _____.

🍃 Saludar a alguien y despedirme.
_____.

Mi carpeta de textos

¿Tienes el correo electrónico de dos compañeros de clase? Escribe un correo a uno de ellos. ¡A lo mejor te responde! ☺

```
● ● ●

¡Hola! Buenos días:
¿Cómo te llamas? Soy tu compañera del curso de español. Me llamo Ingrid Müller y soy de Fráncfort.
¿De dónde eres tú? ¿Cuál es tu número de teléfono? Mi número de teléfono es: 346 987 1230.
Muchas gracias, y ¡adiós!
```

Test

Elige la opción correcta.

1. Yo _____ Alberto. ¿Y tú?
   a. es
   b. soy
   c. llamo

2. "Cecilia" se escribe con _____.
   a. ese
   b. zeta
   c. ce

3. Y usted, ¿cómo _____?
   a. te llamas
   b. se llama
   c. me llamo

4. Y tú, ¿ _____ de República Dominicana o de Nicaragua?
   a. eres
   b. soy
   c. es

5. ¿Vosotras _____ de Madrid?
   a. somos
   b. sois
   c. son

6. Cinco, seis, siete, _____.
   a. nueve
   b. ocho
   c. tres

7. ¿Cuál es tu dirección de _____ electrónico?
   a. número
   b. guion
   c. correo

8. ¿"Televisión" se escribe con _____?
   a. tilde
   b. punto
   c. diéresis

9. ● ¡Hasta luego!
   ▲ _____
   a. Hola.
   b. ¿Qué tal?
   c. ¡Adiós!

10. Eres español, ¿ _____?
    a. tú
    b. verdad
    c. tal

11. Mi correo es juancargarcia, _____, yahoo, punto, es.
    a. guion bajo
    b. arroba
    c. de

12. ¿El apellido se escribe con _____ o con minúscula?
    a. arroba
    b. acento
    c. mayúscula

13. ¿_____ es su número de teléfono?
    a. Cómo
    b. Cuál
    c. Qué

14. ● ¿Qué _____ "por favor"?
    ▲ *Please.*
    a. se escribe
    b. se llama
    c. significa

15. ¿_____ dónde eres?
    a. De
    b. A
    c. Te

16. Ustedes _____ chilenos, ¿no?
    a. sois
    b. son
    c. somos

17. "Kiwi" se escribe con _____.
    a. uve
    b. dos uves
    c. uve doble

18. Juan es el nombre y García es el _____.
    a. guion
    b. apellido
    c. pronombre

19. El plural de profesora es _____.
    a. profesores
    b. profesoras
    c. profesor

20. Hola, buenos _____. Soy Eva Martínez.
    a. noches
    b. días
    c. saludos

EL ESPAÑOL Y YO

1. Países y nacionalidades

a. Completa la tabla con los países y las nacionalidades.

País	Nacionalidad	Nacionalidad
		canadiense
	austriaco	
Turquía		*española*
	alemán	
Suiza		*holandesa*
Grecia		
	francés	*rusa*
Bélgica		
Marruecos		
	portugués	

b. Une los nombres con las nacionalidades.

Karin (Salzburgo)   turco   Margreet (Amsterdam)   noruego

holandesa   Sven (Oslo)   Ali (Estambul)   rusa   Philippe (Bruselas)   Irina (Moscú)

Mateo (Buenos Aires)   francesa   austriaca   Pierrette (París)   argentino   belga

Sven es noruego, de Oslo.

2. ¿Quién es? ¿Qué es?

Completa con la palabra adecuada y el artículo correspondiente (un/una).

monumento   marca   escritora   cantante   baile   nombre   futbolista
~~comida~~   ciudad   apellido

1. La paella es _una comida_ española.
2. Justin Bieber es _____ canadiense.
3. BMW es _____ alemana.
4. Cristiano Ronaldo es _____ portugués.
5. Zúrich es _____ suiza.

6. La torre Eiffel es _____ francés.
7. El tango es _____ argentino.
8. Joanne K. Rowling es _____ inglesa.
9. Dimitri es _____ ruso.
10. Rossi es _____ italiano.

3. Mis verbos

a. Completa la tabla con las formas verbales que faltan.

	tomar *fotografías*	practicar *deportes*	escuchar *música*	trabajar *en un banco*	cocinar *una paella*	mirar *la televisión*
yo	tomo					
tú			escuchas			
él/ella/usted				trabaja		
nosotros/-as		practicamos				miramos
vosotros/-as				trabajáis		miráis
ellos/-as/ ustedes					cocinan	

b. Escribe en tu cuaderno frases con los verbos del ejercicio **3a.**

> **ESTRATEGIA**
> Para aprender nuevos verbos, memorízalos con palabras que pueden acompañarlos.

4. Un foro para buscar amigos

Lee el siguiente mensaje y escribe los verbos conjugados.

●●●

GENTE CON LAS MISMAS AFICIONES

NOMBRE: Eloísa	NACIONALIDAD: chilena	BUSCO: música folclórica internacional

¡Hola! _____ (llamarse, yo) Eloísa y _____ (ser, yo) de Santiago de Chile. _____ (trabajar, yo) en una empresa internacional, pero mi trabajo no es muy atractivo. Tengo una afición apasionante: _____ (escuchar, yo) emisoras de radio de todo el mundo para conocer música de muchos países. No _____ (tocar, yo) ningún instrumento, pero _____ (cantar, yo) con un grupo de amigos músicos. _____ (practicar, nosotros) todos los fines de semana. _____ (buscar, nosotros) personas en todo el mundo para intercambiar música.

5. Mis aficiones

a. Dos amigas quieren participar en un foro sobre el tema "aficiones". ¿De qué aficiones hablan? Escucha y marca con una cruz. ▶ 6

○ viajar
○ coleccionar sellos
○ practicar deportes
○ organizar fiestas
○ tomar fotografías
○ visitar exposiciones
○ chatear
○ cocinar
○ cantar

b. ¿Qué aficiones tienes tú? ¿Sabes qué aficiones tienen tus compañeros? Pregúntales y toma notas.

Yo pinto. Tobías practica deportes.

6. ¿Qué idiomas hablas?

Escucha una conversación en la fiesta de Laura. Marca la respuesta correcta. ▶ 7

¿Qué idiomas habla Marta?

○ ruso   ○ chino   ○ español   ○ italiano
○ griego   ○ francés   ○ inglés   ○ polaco

▲
ESTRATEGIA:
Antes de resolver una tarea de comprensión auditiva, es recomendable escuchar la audición completa y, si es posible, más de una vez.

7. ¿Quién hace qué?

Ordena las siguientes formas verbales en la columna de pronombres que corresponda.

~~tomas~~ soy cantan es organizas viaja cocináis bailan eres toma escuchamos son tenéis miro trabajamos organizamos ~~practico~~ bailáis tengo sois pintan tiene hablamos cocinas

yo	tú	él/ella/usted	nosotros/-as	vosotros/-as	ellos/ellas/ustedes
practico	tomas				

8. ¿Por qué estudian idiomas?

a. Une las dos partes de la frase para expresar por qué estas personas estudian una lengua.

1. Marisa estudia ruso para
2. Nosotros estudiamos francés porque
3. Erich estudia chino para
4. ¿Tú estudias español porque
5. Marco estudia finlandés porque
6. Juan Carlos estudia italiano para

a. tiene una novia de Finlandia.
b. estudiar en Roma.
c. tienes un apartamento en Mallorca?
d. viajar a Moscú.
e. hablar con los padres de Hui Mei, su pareja.
f. trabajamos en una empresa francesa.

b. Escribe frases que expresen los motivos por los que estudias español. ¿Sabes los motivos de tus compañeros?

Yo estudio español porque tengo familia en Chile. Creo que Armin estudia español para...

9. ¿Quién es Mateo?

Lee la información sobre Mateo y responde a las preguntas.

Hola, me llamo Mateo y soy uruguayo. Hablo español y portugués. Estudio inglés para viajar por el mundo y porque es una lengua muy importante. ¿Qué aficiones tengo? Toco el piano, canto en un coro y bailo tango. Busco personas para practicar inglés.

1. ¿Cómo se llama? _____
2. ¿Qué idiomas habla? _____
3. ¿Por qué estudia inglés? _____
4. ¿Qué aficiones tiene? _____
5. ¿Qué busca? _____

10. ¿"Ser" o "tener"?

Completa con las formas adecuadas de *ser* o *tener*.

1. Nosotros _____ españoles, de Salamanca.
2. ● Tú _____ una pareja colombiana, ¿no?
   ▲ Sí, mi novia _____ de Cartagena de Indias.
3. Yo no _____ internet en casa.
4. Luis y Ana _____ aficiones muy interesantes, como coleccionar sellos.
5. ● ¿_____ usted Joaquín Blanco?
   ▲ No, _____ Joaquín López.
6. Anne nunca _____ bolígrafo en la clase de español.
7. ● ¿Vosotros _____ canadienses?
   ▲ Sí, _____ la nacionalidad canadiense.
8. Jaime _____ familia en Filipinas porque su mamá _____ filipina.
9. ● Ustedes _____ un apartamento en España, ¿no?
   ▲ Sí, _____ un apartamento en Alicante.

Mis palabras

11. Mi tesoro de palabras

Reparte las palabras en los tres baúles del tesoro.

~~rusa~~ holandés   visitar exposiciones   bolígrafo   marroquí   mexicana   practicar deportes
hoja   libro   viajar   ~~cantar~~   lápiz   portugués   belga   cuaderno   bailar   goma   turca
cocinar   sacapuntas   ~~diccionario~~

rusa

LENGUAS Y NACIONALIDADES

cantar

AFICIONES

diccionario

OBJETOS PARA LA CLASE

12. Cosas famosas de tu país

Escribe el nombre una cosa o de una persona famosa de tu país para cada categoría.

1. Un cantante: _____
2. Una marca: _____
3. Una fiesta popular: _____
4. Un escritor: _____
5. Un producto: _____
6. Una ciudad con historia: _____
7. Una obra de arte: _____
8. Un baile: _____
9. Un deportista: _____
10. Un libro: _____
11. Un monumento: _____
12. Una empresa: _____

13. Palabras relacionadas

Relaciona las siguientes palabras.

1. trabajar	a. tango
2. tocar	b. deportes
3. cocinar	c. en una empresa
4. bailar	d. una afición
5. cantar	e. en un coro
6. practicar	f. la guitarra
7. tomar	g. fotografías
8. tener	h. comida italiana
9. escuchar	i. un libro
10. vivir	j. a Colombia
11. viajar	k. en España
12. leer	l. música

14. Ciudades

¿Cómo se escriben estas ciudades y países en tu idioma?

1. Londres (Inglaterra) _____
2. Bruselas (Bélgica) _____
3. Nueva York (Estados Unidos) _____
4. Pekín (China) _____
5. San Petersburgo (Rusia) _____
6. Atenas (Grecia) _____
7. El Cairo (Egipto) _____
8. Viena (Austria) _____
9. Venecia (Italia) _____
10. Lisboa (Portugal) _____
11. Nueva Delhi (India) _____
12. Estocolmo (Suecia) _____

Sonidos del español

15. El acento gráfico

a. Escucha las siguientes palabras y subraya la sílaba acentuada. Marca después la tilde donde sea necesario. Puedes ayudarte del apartado "Sonidos del español" de la unidad 1 de este cuaderno. ▶ 8

bo–li–gra–fo	to–mar	ja–mon	li–bro	ho–ja
fol–clo–ri–co	a–par–ta–men–to	ti–pi–co	ho–lan–des	fa–cil
mo–vil	na–cio–na–li–dad	A–me–ri–ca	ar–tis–ti–co	bo–rra–dor

b. Clasifica ahora las palabras del ejercicio **15a** en la siguiente tabla. Comprueba si la regla de la unidad 1 es correcta. ¡No te olvides de la tilde!

●●● acento en la última sílaba	●●● acento en la penúltima sílaba	●●● acento en la antepenúltima sílaba
		bolígrafo

Mis avances en la lengua

Ya estás en el final de la unidad 2. ¡Felicidades! ¡Anota tus avances!

Sé...

❧ Preguntar por datos personales y darlos:
   sobre la nacionalidad
   ¿De dónde ___?___
   sobre las aficiones
   ¿Tocas la guitarra? No, toco ___
   sobre conocimiento de idiomas
   ¿Hablas ___?___

❧ Negar algo.
   ___

❧ Decir por qué estudio español y preguntarle a alguien por qué lo estudia.
   ¿Por qué ___?___

Mi carpeta de textos

Escribir es muy importante cuando se está aprendiendo un idioma. Te invitamos a escribir textos. Para ello te damos ideas sobre algunos temas. Recopila después todos los textos y verás cómo progresas después de cada lección.

Piensa en personas importantes para ti, por ejemplo, amigos de tu país, y escribe un texto breve (procedencia, aficiones, etc.).

Mi amiga Elena es de Noruega. Habla noruego, inglés y francés, pero no habla alemán. Toma fotografías y pinta...

Test

Elige la opción correcta.

1. Hannah es de Austria, es _____.
   a. austríaco
   b. australiana
   c. austríaca

2. Madonna es _____ cantante estadounidense.
   a. la
   b. un
   c. una

3. Me llamo Jorge y soy _____ Chile.
   a. de
   b. en
   c. a

4. Trabajo _____ una empresa internacional.
   a. de
   b. en
   c. a

5. Mi amigo Luis _____ la guitarra.
   a. toco
   b. tocas
   c. toca

6. Vosotras _____ alemanas, ¿no?
   a. son
   b. eres
   c. sois

7. ¿Ustedes _____ salsa?
   a. bailan
   b. bailáis
   c. bailas

8. Julia cocina _____ bien.
   a. muy
   b. no
   c. mucho

9. Tocar la guitarra y pintar son _____.
   a. afición
   b. aficiones
   c. cosas

10. ● ¿_____ es la persona invitada?
    ▲ Es un amigo.
    a. Dónde
    b. Cuál
    c. Quién

11. Juana y Miguel son _____.
    a. parejas
    b. colegas
    c. amigas

12. Hablo español y _____ italiano.
    a. un poco
    b. un poco de
    c. muy

13. Estudio dos idiomas: alemán _____ inglés.
    a. e
    b. y
    c. o

14. ¿_____ idiomas hablas?
    a. Por qué
    b. Cuál
    c. Qué

15. Estudio español _____ es una lengua bonita.
    a. por qué
    b. porque
    c. para

16. Aprendo inglés _____ vivir en Australia.
    a. por qué
    b. porque
    c. para

17. Manuel y yo _____ una amiga francesa.
    a. tengo
    b. tenemos
    c. tienen

18. ● Samanta, ¿tienes _____ lápiz?
    ▲ Sí, aquí _____.
    a. una / tienes
    b. una / tiene
    c. un / tienes

19. Cartagena de Indias es una ciudad _____ historia.
    a. de
    b. para
    c. con

20. ¿En un coro? _____ canto en un coro.
    a. No, no yo
    b. No, yo no
    c. No yo

TRABAJO AQUÍ

1. ¿Qué hace...?

a. Anota las profesiones según el género en las casillas correspondientes.

cocinera   periodista   cantante   profesor   fotógrafa   ~~recepcionista~~   enfermero   taxista
informático   vendedora   empleado de banco   estudiante   médico   arquitecta   traductora

EVA ES... ♀

recepcionista

♂ LEO ES...

b. Escribe frases como en el ejemplo sobre las profesiones de amigos y conocidos.

Gerlinde, una amiga, es periodista.

2. ¿Qué profesión tienen y dónde trabajan o estudian?

a. Relaciona a las personas que has conocido en la unidad con sus profesiones y lugares de trabajo, como en el siguiente ejemplo.

Inés Sanz   Tomás Ruiz   Pedro Vives   Raúl Herrero   Laura Muñoz   Marta Peña

profesor   enfermera   cocinero   fotógrafa   recepcionista   estudiante

hotel   restaurante   hospital   escuela de yoga   periódico   universidad

b. Escribe frases con la información del ejercicio **2a**.

Pedro es profesor y trabaja en una escuela de yoga.

3. Mis verbos

Completa la tabla y escribe en tu cuaderno frases con algunos de estos verbos.

	comer _pizza_	vender _productos_	beber _un café_	leer _un libro_	escribir _textos_	abrir _la puerta_
yo						
tú	comes					
él/ella/usted					escribe	
nosotros/-as				leemos		abrimos
vosotros/-as		vendéis				
ellos/-as/ ustedes			beben			

4. Verbos desordenados

Tenemos que ordenar nuestro fichero de verbos. Anota los verbos en las tarjetas.

~~miramos~~ aprendéis come vives venden escribimos trabajas organizan vivo viaja abre escribís habláis tengo abren bebo tiene hacemos lees escucho

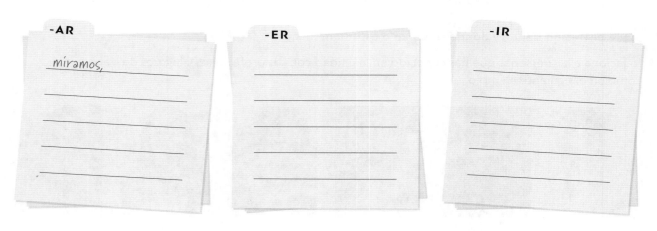

-AR
miramos,
_____
_____
_____
_____

-ER
_____
_____
_____
_____

-IR
_____
_____
_____
_____

5. Combinamos palabras

Selecciona un elemento de cada recuadro y forma frases con los verbos conjugados.

Nosotros comemos ensalada.

nosotros	ellos	tú
ustedes	yo	él
ella	vosotras	usted

vivir	vender	aprender
hablar	comer	abrir
escribir	hacer	trabajar

ensalada	una fiesta	en Madrid
el libro	cartas	en una empresa
idiomas	casas	por teléfono

6. Profesiones y actividades

Lee los textos y escribe las diferencias y similitudes que tienes con estas personas.
Utiliza para ello *yo no...* y *yo también...*

JUAN

vive y trabaja en Barcelona.
Viaja mucho por trabajo.
Aprende inglés y alemán en
una escuela de idiomas.

SARA

y su compañera trabajan en
una tienda. A mediodía
hacen una pausa de dos horas
y comen en casa. Viven cerca
del trabajo.

CELIA

trabaja en su propia empresa.
Escribe cartas y correos
electrónicos, habla por teléfono
con clientes y organiza eventos.

Yo no vivo en Barcelona,
vivo en...

_____

_____

_____

7. Situaciones

Completa las frases con las formas verbales adecuadas de los verbos *comer* (x 2), *escribir, beber
hablar, hacer, ser, tener, vender* o *vivir* (x 2).

1. ¿Qué relación _____ Esteban y Rosa María?   _____ pareja.

2. ¿_____ vino blanco también?   No, muchas gracias. Para mí, vino tinto.

3. ¿Por qué _____ la carta en inglés?   Porque Paul no _____ español.

4. Y vosotros, ¿qué _____?   _____ productos belgas en diversos países.

5. ¿Dónde _____ tu amigo?   _____ con su familia en Paraguay.

6. ¿Qué _____ a mediodía?   Por lo general, _____ una ensalada en casa.

8. Nuevos amigos

a. Une las preguntas con sus respuestas correspondientes.

1. ¡Hola! ¿Qué tal?
2. ¿Cómo está usted?
3. Señor Rodríguez, esta es la señora Juárez.
4. Mira, este es mi amigo Pepe.
5. ¿Es este tu jefe?
6. Señora Ramírez, este es el señor Vidales.

a. Encantada.
b. Mucho gusto, Pepe.
c. Bien. ¿Y tú?
d. Bien, gracias. ¿Y usted?
e. Encantado.
f. No. Mi jefe es el señor Támez.

b. Escucha estos saludos una o dos veces y escribe una respuesta para cada uno. ▶ 9

1. _____ .   2. _____ .
3. _____ .   4. _____ .

9. ¿Quién saluda?

a. Relaciona los diálogos con los dibujos y completa los huecos con *este, esta* o *estos*. Después, escucha y comprueba. ▶ 10

1. ● Señor Flores, _____ es la nueva secretaria, la señora Jiménez.
   ▲ Encantado, señora Jiménez.
   ■ Encantada.

2. ● Mira, Gabriela. _____ son Fernando y Roberto. Estudiamos juntos en la universidad.
   ▲ Hola, ¿cómo estáis?
   ■ Hola, Gabriela. Bien, bien, gracias.
   ◆ ¡Hola! Bien, ¿y tú?

3. ● Elena, mira, _____ es mi amigo Sergio.
   ▲ Hola, Sergio. Mucho gusto.

b. Escribe tú ahora un diálogo en el que aparezca la palabra *estas*.

_____
_____
_____
_____

A

B

C

10. *Pero, y, también*

Haz frases con *y, pero* o *también*.

1. Laura es profesora de inglés
2. Julio vive en Bilbao. Yo
3. No tengo novia
4. El profesor es argentino y el director
5. Yo hago una pausa de una hora a mediodía
6. No vive en el centro de la ciudad

y
pero
también

a. tengo muchos amigos.
b. de francés.
c. vivo en Bilbao.
d. como un bocadillo o una ensalada.
e. vive cerca.
f. es argentino.

Mis palabras

11. Palabras y categorías

Clasifica las siguientes palabras, según las categorías que aparecen abajo.

trabajar en equipo   ~~cartas~~   vender   correos electrónicos   cocinero
hospital   recepcionista   textos   restaurante   periódicos   camarero
empresa   médica   hacer reservas   escuela   hablar por teléfono

_Cartas_____, _____, _____, _____ ... son cosas para leer.
_____, _____, _____, _____ ... son profesiones.
_____, _____, _____, _____ ... son actividades del trabajo.
_____, _____, _____, _____ ... son lugares de trabajo.

12. ¿Con qué palabra?

Relaciona las palabras de las dos columnas. Hay más de una opción posible.

1. beber
2. escribir
3. abrir
4. organizar
5. comer
6. tocar
7. aprender
8. vivir
9. hacer
10. hablar

a. lenguas
b. un instrumento
c. un zumo
d. en Barcelona
e. por teléfono
f. una paella
g. un correo electrónico
h. una puerta
i. un evento
j. una pausa

13. Soy periodista y...

Clasifica las actividades que realizan estas personas. Hay más de una opción posible.

Trabajo en una revista   Estudio en una escuela   Trabajo en una oficina
Viajo por trabajo   Escribo artículos   Trabajo en una tienda
Escribo correos electrónicos   Hablo por teléfono   Aprendo idiomas
Hago los deberes   Vendo productos de decoración   Hablo con los clientes

Soy periodista

Soy secretaria

Soy estudiante

Soy dependienta

Sonidos del español

14. La pronunciación de "g" y "j"

a. Escucha las siguientes palabras y repite. ▶ 11

inglés diálogo imaginario guitarra jamón alguien gente trabajo grupo
Argentina gambas pareja

b. Escucha nuevamente las palabras y anótalas en la columna que corresponda.

g / gu		g / j	
se escribe con "g"	se escribe con "gu"	se escribe con "g"	se escribe con "j"
inglés			

Mis avances en la lengua

¡Muy bien! Ya dominas la unidad 3. ¡Ahora el premio! ¡Toma nota de tus avances!

Sé...

- Decir mi profesión.
  Soy   .
- Decir dónde vivo y dónde trabajo.
  Vivo en   y trabajo   .
- Expresar diferencias y similitudes.
  Yo también   . Yo no
- Presentar a alguien y reaccionar a una presentación.
  Este es   ¡   !
- Preguntar por el estado de ánimo y responder a la misma pregunta.
  ¿   ?   .

Mi carpeta de textos

a. Lee otra vez el texto 3 del ejercicio 4a de la unidad y escucha nuevamente
la pista 22 del libro del alumno para tomar notas sobre Celia Treviño.
Después escribe su presentación. La tarjeta de visita también te puede ayudar.

Esta es Celia Treviño y es... Vive en...

b. Ahora preséntate a ti mismo en otro texto.

Yo soy Hermann Schmidt y soy...

EVENTOS HOY
CELIA TREVIÑO
Informática

Avenida de los Castros, 7
39005 Santander
Tel. +34 942 573 993
celiatre@eventos.com

Test

Elige la opción correcta.

1. Alberto Rodríguez es profesor _____ yoga.
   a. en
   b. de
   c. por

2. Yo viajo mucho _____ trabajo.
   a. para
   b. por que
   c. por

3. Escribo _____ para revistas.
   a. periódicos
   b. reservas
   c. artículos

4. Mi compañera y yo _____ en una tienda de decoración.
   a. trabajo
   b. trabajan
   c. trabajamos

5. A mediodía _____ una pausa y como en casa.
   a. hago
   b. hace
   c. hacemos

6. Soy italiano, _____ vivo en Madrid.
   a. también
   b. porque
   c. pero

7. ● ¡Hola! ¿Cómo estás?
   ▲ Bien, ¿y _____?
   a. usted
   b. ustedes
   c. tú

8. Yo trabajo _____ equipo con mis compañeros.
   a. en
   b. de
   c. para

9. En mi trabajo aprendo _____.
   a. muchos
   b. mucho
   c. muy

10. ¿Dónde _____ vosotros?
    a. viven
    b. vives
    c. vivís

11. Ana, mira, _____ es Pablo, un amigo.
    a. esto
    b. esta
    c. este

12. Hola, soy recepcionista, trabajo en un hotel. Y tú, ¿_____ profesión tienes?
    a. qué
    b. cuál
    c. cómo

13. Carlos ahora no trabaja, _____ en paro.
    a. es
    b. está
    c. tiene

14. Me llamo Lucía y mi _____ es González.
    a. nombre
    b. profesión
    c. apellido

15. Estudio inglés _____ francés.
    a. y
    b. e
    c. con

16. ● Señora García, este es el señor Jiménez.
    ▲ _____.
    a. Encantado.
    b. Encantada.
    c. Muy bien, gracias.

17. La tienda _____ por la mañana y por la tarde.
    a. hace
    b. está
    c. abre

18. Sandra es de Caracas y Alba _____ es venezolana.
    a. también
    b. pero
    c. porque

19. El señor Castro no trabaja, está _____.
    a. jubilado
    b. paro
    c. reserva

20. Soy camarero, trabajo en _____.
    a. un hospital
    b. una cafetería
    c. una revista

¡ME GUSTAN LAS TAPAS!

1. "Preferir" y "querer"

Completa los verbos *querer y preferir* con -e- o -ie-.

1. ● ¿Qué tapa qu____res probar?
   ▲ Yo pref____ro una tapa vegetariana: champiñones.
2. Nosotros pref____rimos comer en un bar.
3. ● Y vosotros, ¿qué pref____rís beber, vino o cerveza?
   ▲ Yo pref____ro cerveza, pero creo que María pref____re vino.

4. ● ¿Qu____réis probar las patatas bravas?
   ▲ Sí, y yo qu____ro probar los pimientos.
5. ● ¿Qué qu____ren Roberto y Susana?
   ▲ Roberto qu____re calamares y Susana pimientos. ¡Ah! Y los dos qu____ren vino tinto, por favor.

2. Mis números del 11 al 20

¡Ahora vamos a sumar! Escribe las sumas con letras, como en el ejemplo. ¡Piensa en español!

> **ESTRATEGIA:**
> Es bueno pensar en el idioma que estudias siempre que sea posible.

a. 7 + 9 = _16_ → *siete más nueve son dieciséis*

b. 8 + 3 = ____ → _____

c. 7 + 7 = ____ → _____

d. 9 + 3 = ____ → _____

e. 5 + 12 = ____ → _____

f. 2 + 18 = ____ → _____

g. 10 + 3 = ____ → _____

h. 15 + 4 = ____ → _____

3. ¿Qué es esto?

Pide las tapas que aparecen en las fotos. Utiliza *unos* o *unas.*

1. ¡Camarero, _unas_____ patatas bravas!
2. ¡Camarero, _____ pimientos!
3. ¡Camarero, _____ _____!

4. ¡Camarero, _____ _____!
5. ¡Camarero, _____ _____!
6. ¡Camarero, _____ _____!

4. En el bar

a. Ordena el siguiente diálogo entre el camarero y un cliente indeciso.
A continuación, escucha el diálogo y comprueba. ▶ 12

  _1_ ● Buenas tardes, ¿qué quiere tomar?
  ___ ▲ Un vino tinto. Bueno no, prefiero una cerveza.
  ___ ● De acuerdo... calamares y gambas.
  ___ ▲ Unos calamares y unas gambas.
  ___ ● Son siete euros. Bueno no, son doce euros.
  ___ ▲ Muchas gracias. ¿Cuánto es?
  ___ ● Muy bien, una cerveza. Aquí tiene.
  ___ ▲ Bueno no. Las gambas no, prefiero aceitunas.
  ___ ● Entonces, calamares y aceitunas. ¿Y para beber?

b. Escribe en tu cuaderno un diálogo en el que pidas una tapa y una bebida. Puedes utilizar las tapas que aparecen en la unidad.

5. Los días de la semana

¡Vaya! Las letras de los días de la semana están desordenadas. Escríbelos en el calendario correctamente, como en el ejemplo. Numéralos en el orden adecuado.

LOS DÍAS DE LA SEMANA

1	seuln	lunes
	vnirsee	
	oongimd	
	dásabo	
	uvseej	
	mirésceol	
	meastr	

6. ¿Qué llevan estas tapas?

Marca los dos ingredientes necesarios para hacer estas tapas.

¿Qué lleva el pollo al ajillo?	→	○ pescado	○ pollo	○ ajo	○ arroz
¿Qué lleva el gazpacho?	→	○ arroz	○ pimiento	○ carne	○ tomates
¿Qué lleva la tortilla española?	→	○ pescado	○ huevos	○ patatas	○ calamares
¿Qué lleva la paella?	→	○ pan	○ patatas	○ pimiento	○ arroz

7. ¿Y los precios?

En el supermercado alguien ha derramado café sobre la lista de precios. Eduardo, el jefe de la sucursal, llama a la central para que le informen nuevamente de los precios. Escucha el diálogo y anota los precios en la lista. ▶ 13

SUPERMERCADO FRESCO. PRECIOS DEL DÍA.

PRODUCTO	PRECIO ACTUAL	
Huevos orgánicos	Paquete de 10 unidades	_2,79_ €
Pollo entero	Precio por unidad	___
Arroz integral	Paquete de 1 kilo	___
Tomate Roma	Precio por kilo	___
Patatas	Precio por kilo	___

8. Cantidades y envases

a. En el folleto del supermercado FRESCO faltan las cantidades y los precios.
   Completa como en el ejemplo. Los precios te los puedes inventar.

SUPERMERCADO FRESCO

LECHE   ___ €

2.30 €

100 gramos de
QUESO

VINO TINTO   ___ €

___ €

ATÚN

___ €   CAFÉ

MANZANAS

___ €

b. Elabora tu lista de la compra para la semana con cantidades.

9. En el mercado

Piensa quién dice estas frases cuando compramos: anota v para vendedor
y c para cliente. Después, ordena el diálogo.

__ _c_	Sí. Un melón, por favor.
__ __	Aquí tiene.
_1_ __	¿Qué desea?
__ __	Sí, gracias. ¿Cuánto es?

__ __	Quería tres kilos de mangos.
__ __	¿Algo más?
__ __	¿Es todo?
__ __	Son siete euros con ochenta céntimos.

10. ¿A quién le gusta...?

a. ¿Qué va con qué? Completa la tabla.

~~a mí~~   le   a ti   le   a ella   a él   le   me   te   a usted

A mí   _____

_____   _____   } gusta el queso.

_____   _____

_____   _____   gustan las naranjas.

b. Escucha las expresiones y anótalas en la columna correspondiente.
   Escribe el artículo donde sea necesario. ▶ 14

gusta	gustan

c. Escribe frases hablando de las preferencias de estas personas.

CECILIA

MANOLO

INÉS

A Cecilia le... _____

_____

_____

_____

_____

_____

11. ¿Qué quieres / prefieres / te gusta?

Completa los huecos con la forma correcta de *querer, preferir* o *gustar*. En algunos casos hay varias opciones.

> INFORMACIÓN:
> Cuando se hacen las compras se utiliza la forma de cortesía: *quería...*

1. ● Ana, ¿_____ un poco de queso?
   ▲ Sí, el queso _____ _____ mucho.

2. ● Hey, vosotros, ¿_____ probar las gambas o _____ jamón?
   ▲ Para mí jamón, por favor.
   ■ Para mí, también jamón.
     No _____ _____ las gambas.

3. ● ¿No _____ _____ la fruta?
   ▲ No. Ramón _____ la verdura.

4. ● _____ un kilo de cebollas.
   ▲ ¿Algo más?

5. ● ¿Y estas gambas?
   ▲ Seguramente son para Elena y Daniel.
     A ellos _____ _____ mucho.

6. ● ¿A ti _____ _____ los champiñones?
   ▲ Sí. En realidad _____ _____ todo.
   ● Pues a mí no _____ _____ la verdura.

12. Mucho, bastante, nada

Responde a las preguntas según tus gustos.

Sí, mucho   Sí, bastante   No, nada

1. ¿Te gustan las tapas? _____
2. ¿Te gusta estudiar español? _____
3. ¿Te gusta el café? _____
4. ¿Te gustan las aceitunas? _____
5. ¿Te gusta cocinar con aceite de oliva? _____
6. ¿Te gustan los restaurantes asiáticos? _____
7. ¿Te gusta la carne? _____
8. ¿Te gustan las verduras? _____

Mis palabras

13. ¡Buscamos palabras!

Busca palabras para las siguientes categorías.

A — FRUTA Y VERDURA

B — OTROS ALIMENTOS

C — LÁCTEOS

D — BEBIDAS

_____   _____   _____   _____

_____   _____   _____   _____

_____   _____   _____   _____

14. ¿Con qué palabra?

Relaciona las palabras de las dos columnas.

1. calamares
2. pollo
3. tortilla
4. huevos
5. arroz
6. vino
7. salsa
8. queso
9. patatas
10. café

a. manchego
b. española
c. tinto
d. a la romana
e. orgánicos
f. de tomate
g. bravas
h. integral
i. con leche
j. al ajillo

15. Comprar en el supermercado

Clasifica los siguientes productos. Hay más de una posibilidad.

| plátanos | aceite | café | queso | zumo | mantequilla | leche |
| naranjas | atún | tomates | pollo | arroz | agua | champiñones |

Un kilo de...	Un litro de...	Una botella de...	Una lata de...	Un paquete de...
_____	_____	_____	_____	_____
_____	_____	_____	_____	_____

16. ¿Qué palabra falta?

Completa las frases con las siguientes palabras.

| un bolígrafo | un restaurante | un pastel | fotos | una ciudad | idiomas | agua | libros |

1. En mis vacaciones hago _____.
2. Antonio es cocinero y trabaja en _____.
3. Con la comida siempre bebemos _____.

4. ¿Tienes _____, por favor?
5. ¿Qué _____ leéis?
6. Julia hace _____ para mi fiesta.
7. Vivo en _____.
8. Peter habla tres _____.

Sonidos del español

17. La "c", la "q" y la "z"

a. Escucha las palabras y repítelas. ▶ 15

~~calamares~~ cerveza ~~manzanas~~ mante**qu**illa ga**z**pacho **co**cina tradi**c**ional **qu**eso
chori**z**o **z**umo **qu**erer a**c**eitunas **c**ompra ri**c**o cro**qu**etas **c**amarero

b. Escúchalas de nuevo y anótalas en la columna correspondiente.
Pon atención a las letras en negrita.

/k/ como en **casa**		c/z, como "**th**" en inglés	
se escribe con "c"	se escribe con "qu"	se escribe con "c"	se escribe con "z"
calamares			manzanas

c. Escucha de nuevo las palabras, pero esta vez pronunciadas por una mexicana. ¿De qué diferencias te das cuenta? ▶ 16

Mis avances en la lengua

¡El curso avanza muy rápido! Ya has terminado la unidad 4. Aquí puedes marcar todo lo que ahora ya sabes.

Sé...

❦ Pedir algo en un bar.
   Para mí,   .

❦ Describir un plato.
   Las patatas bravas llevan   .

❦ Expresar mis preferencias.
   Prefiero   .

❦ Comprar alimentos.
   Quería   .

❦ Decir lo que me gusta y lo que no me gusta.
   A mí no me gusta   .

Mi carpeta de textos

Escribe una breve lista de la compra para el fin de semana con productos, cantidades y precios aproximados.

Después, escribe un diálogo entre el vendedor y tú. ¡Compra al menos dos productos de tu lista!
Puedes utilizar el ejercicio 9 como modelo.

Test

Elige la opción correcta.

1. ¿Vosotros qué _____ tomar?
   a. quieren
   b. queréis
   c. quiere

2. Yo _____ los pimientos.
   a. prefiere
   b. prefieren
   c. prefiero

3. Queremos _____ calamares.
   a. unas
   b. unos
   c. un

4. ● Muchas gracias.
   ▲ _____.
   a. De nada
   b. Para nada
   c. Es nada

5. Camarero, quiero pagar, ¿_____?
   a. cuándo es
   b. cuánto es
   c. cuánto

6. Creo que el gazpacho _____ tomate.
   a. lleva
   b. llega
   c. llave

7. Trabajo los fines de semana: el _____ y el domingo.
   a. jueves
   b. sábado
   c. lunes

8. Treinta, cuarenta, cincuenta, _____.
   a. setenta
   b. dieciséis
   c. sesenta

9. En el supermercado _____ comida.
   a. como
   b. compro
   c. hago

10. La lechuga es una _____.
    a. verdura
    b. fruta
    c. carne

11. Quería dos _____ de plátanos.
    a. gramos
    b. kilos
    c. litros

12. ¿Quiere una o dos _____ de atún?
    a. botellas
    b. paquetes
    c. latas

13. ● ¿Algo más?
    ▲ No, eso _____.
    a. todo
    b. es todo
    c. es

14. _____ no me _____ los platos exóticos.
    a. A mí / gusta
    b. A ti / gustan
    c. A mí / gustan

15. ¿Te _____ probar platos nuevos?
    a. gustan
    b. gusta
    c. gusto

16. Las tapas nos gustan _____.
    a. nada
    b. mucho
    c. muy

17. _____ nada la verdura.
    a. Me gusta
    b. No me gusta
    c. Gusta

18. En la clase de español _____ mucho.
    a. gustamos
    b. tenemos
    c. aprendemos

19. Es vegetariano y no come _____.
    a. arroz
    b. albóndigas
    c. gazpacho

20. La cerveza es una _____.
    a. tapa
    b. bebida
    c. comida

EN FAMILIA

1. ¿Qué letras faltan?

Completa estas palabras relacionadas con la familia con las letras que faltan y añade el artículo. Completa después la segunda columna con las formas que correspondan.

<u>la</u> ma<u>d</u>re → plural: <u>las madres</u>   ____ p__i__os → femenino: _____

____ he__ma__as → masculino: _____   ____ __a__ido → femenino: _____

____ __ía → plural: _____   ____ a__ue__as → masculino: _____

____ so__ri__a → plural: _____   ____ n__e__o → femenino: _____

2. ¿Es la madre o la abuela?

a. Mira el árbol genealógico de Santiago y completa las frases como en el ejemplo. Escribe después dos frases más.

b. Responde a las preguntas.

1. ¿Cómo se llama el padre de Alejandra?
   _____.

2. ¿Cuántos hermanos tiene Pablo?
   _____.

3. ¿Quiénes son los tíos de Luis?
   _____.

4. ¿Cuántos nietos tiene Sara y cómo se llaman?
   _____.

5. ¿Cuántos primos tiene Luis?
   _____.

1. Sara es <u>la mujer</u> de Miguel.
2. Catalina es _____ de Miguel.
3. Santiago es _____ de Julieta.
4. Alejandra es _____ de Luis.
5. Luis es _____ de Santiago.
6. Sara y Miguel son _____ de Santiago.
7. Sara y Miguel son _____ de Luis, Alejandra y Pablo.
8. Julieta es _____ de Luis.
9. _____.
10. _____.

3. ¿Cómo te llamas?

a. Forma con las palabras del recuadro tantas formas del verbo *llamarse* como puedas y anótalas en tu cuaderno. Comienza con el pronombre personal.

yo		nosotros		vosotros		tú	
	se		me		~~llama~~		llaman
él		ustedes		nos		llaman	
	~~usted~~		llamamos		llamo		os
llamas		llamáis		~~se~~		se	
	llama		se		te		ellos

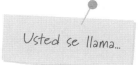

Usted se llama...

b. Rellena los huecos con las formas correspondientes del verbo *llamarse*.

1. ● ¿Cómo _____ _____ tus padres?
   ▲ Mi madre _____ _____ María y mi padre, Pedro.
2. ● Tú eres Ana, ¿no?
   ▲ No, no. Yo _____ _____ Carmen.
3. ● ¿Cómo _____ _____ (vosotras)?
   ▲ _____ _____ (nosotras) Inés y Clara.
4. ● ¿Cómo _____ _____ tu hermano?
   ▲ ¿Cuál? Tengo dos y _____ _____ Javi y Juan.
5. ● Oye, Magdalena, ¿_____ _____ (tú) igual
   que tu madre?
   ▲ No. Mi madre _____ _____ Francisca.

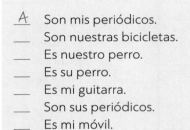

A	Son mis periódicos.
___	Son nuestras bicicletas.
___	Es nuestro perro.
___	Es su perro.
___	Es mi guitarra.
___	Son sus periódicos.
___	Es mi móvil.

4. ¿Quién dice qué?

a. Felipe se encuentra con sus vecinos, la familia Cervantes, delante de la casa. La señora Escobar observa la escena desde su ventana. Lee las frases y decide: ¿quién dice qué?

Felipe Gómez A

La señora Escobar C

La familia Cervantes B

b. Completa la tabla con más preguntas de Felipe y la familia Cervantes.

La familia Cervantes pregunta:	Felipe pregunta:
¿Son tus periódicos?	¿ _____ ?
¿ _____ ?	¿ _____ ?
¿ _____ ?	¿ _____ ?

5. ¿Quién es tu hermano?

a. Completa los diálogos con el posesivo que corresponda.

- A ver, a ver, ¿tienes fotos en el móvil?
- ▲ Sí, mira.
- ¿Quiénes son estos?
- ▲ Esta es la familia de _mi_ hermana Sabrina.
- ¡Qué linda! Es _____ hermana menor, ¿verdad?
- ▲ Así es. Estos son _____ hijos, Juan Carlos y Ofelia.
- ¡Qué lindos _____ sobrinos! ¡Y qué guapo es el marido de _____ hermana!
- ▲ Bueno, no están casados. Es _____ novio.
- Entonces... ¿no es el padre de los niños?
- ▲ No. _____ padre vive ahora con otra mujer. Y tú, ¿tienes fotos en tu móvil?
- Sí. Mira, esta es _____ familia.
- ▲ ¡Pero si son dos hombres!

- Claro. Son _____ hombres.
- ▲ ¿Cómo?
- Pues son _____ padre y _____ hermano.
- ▲ ¡Ah! ¿Y _____ hermano está soltero?
- No, mujer. Está casado y tiene tres hijos. _____ familia es muy grande.
- ▲ ¿Y esta? ¿Es _____ mascota?
- No, es de _____ padre. Es _____ compañera.

b. Escucha y comprueba. ▶ 17

6. ¿Encarna está casada?

a. La información sobre estas personas se ha desordenado. Ordénala en la tabla.

| es médico | están casados | está viuda | vive en Bilbao |

| ~~tiene 35 años~~ | está jubilada | tienen 30 años |

| está soltero | tiene 67 años | vive con su hija en Sevilla |

| trabajan en un hotel | viven en Barcelona |

Nombre	Edad	Estado civil	Profesión	Lugar de residencia
Leo	_tiene 35 años_	_____	_____	_____
Encarna	_____	_____	_____	_____
Ana y Víctor	_____	_____	_____	_____

b. Escribe un texto para presentar a alguien de tu familia.

7. ¿Es, tiene o lleva?

Clasifica las palabras en la columna correspondiente.

| el pelo largo | bigote | el pelo corto | moreno/a | rubio/a | delgado/a |

| gordito/a | joven | mayor | gafas | barba | los ojos azules |

ES	TIENE	LLEVA
_____	_____	_____
_____	_____	_____
_____	_____	_____

8. ¿Es rubia o morena?

Subraya la opción correcta para describir a estas personas.

1. Es rubia / morena.

2. Es joven / mayor.

3. Es delgado / gordito.

4. Lleva gafas / bigote.

5. Tiene el pelo largo / corto.

6. Es alto / bajo.

9. ¿Cómo son?

Completa en la tabla las parejas de contrarios con el adjetivo que corresponda. Marca luego las palabras con una *f* (*físico*) o una *c* (*carácter*).

mayor   antipático   ~~pesimista~~   moreno   aburrido   tímido   bajito   serio   gordito

_c_ optimista ↔ _pesimista_	___ delgado ↔ _____	___ simpático ↔ _____
___ alegre ↔ _____	___ rubio ↔ _____	___ alto ↔ _____
___ joven ↔ _____	___ divertido ↔ _____	___ sociable ↔ _____

10. ¿Quién es quién?

¿Cómo describirías a estas personas en español? Piensa algunas frases y escríbelas.
A continuación, escucha lo que José Manuel dice de sus amigos y anota la información. ▶ 18

A

B

C

Nombre: _____

Cumpleaños: _____

Nombre: _____

Cumpleaños: _____

Nombre: _____

Cumpleaños: _____

Mis palabras

11. Los meses del año

a. Encuentra los doce meses del año.

b. Completa con los meses que faltan.

```
O J N N H E B K K S A U E W M Q L G
H E Z O R X A R Z U F W U S A Q H J
B E M V J A K R I V X B T Z R T M X
F Q C I S D A S S I C P M E Z L B R
Z T W E U J U L I O H X A G O S T O
L U R M P C C S U A P L Y R Z Q V C
O A D B P Q F E B R E R O Q R Q Z T
H B X R I J U N I O E P S B K M Q U
P R S E P T I E M B R E M W O D L B
D I C I E M B R E I B M C B D A S R
H L H S Q L F O T D U A R I E L P E
```

Febrero

Lu	Ma	Mi	Ju	Vi	Sa	Do
						1
2	3	4	5	6	7	8
9	10	11	12	13	14	15
16	17	18	19	20	21	22
23	24	25	26	27	28	29
30	31					

Lu	Ma	Mi	Ju	Vi	Sa	Do
			1	2	3	4	5
6	7	8	9	10	11	12
13	14	15	16	17	18	19
20	21	22	23	24	25	26
27	28					

Lu	Ma	Mi	Ju	Vi	Sa	Do
			1	2	3	4	5
6	7	8	9	10	11	12
13	14	15	16	17	18	19
20	21	22	23	24	25	26
27	28	29	30	31		

Lu	Ma	Mi	Ju	Vi	Sa	Do
					1	2
3	4	5	6	7	8	9
10	11	12	13	14	15	16
17	18	19	20	21	22	23
24	25	26	27	28	29	30

Mayo

Lu	Ma	Mi	Ju	Vi	Sa	Do
1	2	3	4	5	6	7
8	9	10	11	12	13	14
15	16	17	18	19	20	21
22	23	24	25	26	27	28
29	30	31				

Lu	Ma	Mi	Ju	Vi	Sa	Do
				1	2	3	4
5	6	7	8	9	10	11
12	13	14	15	16	17	18
19	20	21	22	23	24	25
26	27	28	29	30		

Julio

Lu	Ma	Mi	Ju	Vi	Sa	Do
					1	2
3	4	5	6	7	8	9
10	11	12	13	14	15	16
17	18	19	20	21	22	23
24	25	26	27	28	29	30
31						

Lu	Ma	Mi	Ju	Vi	Sa	Do
	1	2	3	4	5	6
7	8	9	10	11	12	13
14	15	16	17	18	19	20
21	22	23	24	25	26	27
28	29	30	31			

Lu	Ma	Mi	Ju	Vi	Sa	Do
					1	2	3
4	5	6	7	8	9	10
11	12	13	14	15	16	17
18	19	20	21	22	23	24
25	26	27	28	29	30	

Octubre

Lu	Ma	Mi	Ju	Vi	Sa	Do
						1
2	3	4	5	6	7	8
9	10	11	12	13	14	15
16	17	18	19	20	21	22
23	24	25	26	27	28	29
30	31					

Lu	Ma	Mi	Ju	Vi	Sa	Do
			1	2	3	4	5
6	7	8	9	10	11	12
13	14	15	16	17	18	19
20	21	22	23	24	25	26
27	28	29	30			

Lu	Ma	Mi	Ju	Vi	Sa	Do
					1	2	3
4	5	6	7	8	9	10
11	12	13	14	15	16	17
18	19	20	21	22	23	24
25	26	27	28	29	30	31

12. ¿Quién, cuándo, cómo...?

Completa las preguntas con la partícula interrogativa.

Cuántos   Cómo   Cuándo   Quién   De dónde

1. ● ¿_____ es tu familia?
   ▲ Es pequeña. Somos cuatro: mi padre, mi madre, mi hermana y yo.
2. ● ¿_____ tiene muchos hermanos?
   ▲ ¡Yo! Tengo dos hermanos y una hermana.

3. ● ¿_____ años tienes?
   ▲ Diecisiete.
4. ● ¿_____ son tus abuelos?
   ▲ Son argentinos.
5. ● ¿_____ es tu cumpleaños?
   ▲ El 8 de mayo.

13. Las instrucciones en mi libro de español

Une las partes de la frase para reconstruir los enunciados del libro. Tradúcelos luego a tu idioma.

Relaciona   la tabla.   Completa   otra vez.   sus respuestas.

el artículo.   Escucha   los textos con las fotos.   con tu compañero/a.

Comprueba   Compara   la opción correcta.   Lee   Marca

Sonidos del español

14. El sonido de la "r"

a. Escucha las palabras y repite. Anota el número que corresponde en la columna correcta de la tabla. ▶ 19

/**r**/ (vibrante simple)	/**rr**/ (vibrante múltiple)
1,	3,

b. Escucha de nuevo las palabras. ¿Cuándo es la **r** vibrante múltiple? Comprueba tus respuestas con el ejercicio **14a**.

1. personas
2. pero
3. respuesta
4. arroz
5. marido
6. sobrina
7. primo
8. rubia
9. Aurora
10. ritmo
11. hermana
12. correo

c. Aprende este trabalenguas de memoria y repítelo un par de veces. ¿La **r** es vibrante simple o vibrante múltiple? Escucha y comprueba. ▶ 20

> *Erre con erre cigarro, erre con erre barril, rápido ruedan los carros cargados de azúcar del ferrocarril.*

Mis avances en la lengua

Ya has llegado al final de la unidad 5. ¡Sigue así! Aquí puedes ver los avances que has hecho.

Sé...

- Hablar de mi familia.
  Mi marido se llama _____ *y tengo* _____.
- Hablar sobre la edad.
  Tengo _____.
- Informar sobre el estado civil.
  Estoy _____.
- Describir el aspecto y el carácter de una persona.
  Es alta, _____. *Es muy seria y* _____.
- Informar sobre mi cumpleaños.
  Mi cumpleaños _____.

Mi carpeta de textos

Raquel, una estudiante española, va a vivir en tu casa durante seis meses. Descríbele a tu familia. Pregúntale a ella algunas cosas sobre su familia.

¡Hola, Raquel! ¿Qué tal?...

Test

Elige la opción correcta.

1. Mi hermano _____ llama Aitor.
   a. es
   b. de
   c. se

2. Yo creo _____ los compañeros de la clase son muy simpáticos.
   a. de
   b. que
   c. a

3. El padre de mi padre es mi _____.
   a. tío
   b. abuelo
   c. nieto

4. La hija de mi tía es mi _____.
   a. sobrina
   b. hermana
   c. prima

5. Mi hijo _____ tiene 12 años y el _____ 18.
   a. mayor / menor
   b. menor / mayor
   c. menor / pequeño

6. ● _____ es Álex?
   ▲ Mi primo.
   a. ¿Dónde
   b. ¿Cómo
   c. ¿Quién

7. ¿Y tú _____ años tienes?
   a. cuándo
   b. cuántos
   c. cuáles

8. Ana y Juan, ¿_____ tíos son españoles?
   a. nuestros
   b. vuestros
   c. tus

9. Mi hermano _____ rubio.
   a. tiene
   b. lleva
   c. es

10. ¿Tú tienes los ojos _____?
   a. cortos
   b. azules
   c. largos

11. Mi amigo es muy _____.
   a. simpática
   b. optimista
   c. trabajadora

12. Julio, agosto, septiembre, _____
   a. junio
   b. octubre
   c. febrero

13. ¿_____ es el cumpleaños de Jonás?
   a. Cuánto
   b. Cuánta
   c. Cuándo

14. ● ¿Diana, estás casada?
   ▲ No, pero tengo _____.
   a. soltera
   b. marido
   c. novio

15. Mi cumpleaños es _____.
   a. uno de abril
   b. el uno de abril
   c. el uno abril

16. Mis padres _____ mucho tiempo con sus nietos.
   a. pasan
   b. tienen
   c. hacen

17. Mañana _____ una fiesta en mi casa.
   a. estoy
   b. hago
   c. es

18. Yo soy moreno y mi hermano también: _____ somos morenos.
   a. dos
   b. los dos
   c. unos dos

19. Idoia es _____ Bilbao y vive _____ Madrid.
   a. de / a
   b. de / de
   c. de / en

20. No tengo hermanos, soy _____.
   a. único
   b. hijo único
   c. único hijo

MI BARRIO

1. ¿Qué hay en tu ciudad?

a. Mira las fotos y anota lo que ves en ellas.

b. ¿Qué hay y qué no hay en tu ciudad? ¿Qué más cosas hay?
Escribe un texto breve en tu cuaderno.

En mi ciudad (no) hay...

2. De visita

A estas personas les gustaría visitar tu ciudad. ¿Qué les recomiendas? Puedes ayudarte de la información que viene en los recuadros de abajo.

«A mí me gusta probar la comida tradicional».

«Nosotras queremos ir a bailar».

«Yo prefiero pasear en zonas verdes».

«Tenemos interés en la cultura».

Lugar: _____   _____   _____   _____
¿Dónde está? _____   _____   _____   _____
¿Cómo es? _____   _____   _____   _____

---

en el centro   en el norte
                              en el este
    cerca de...   en el sur
                          en el oeste
en
        lejos de...   en la calle...

---

                                        antiguo/-a
    famoso/-a   grande
                                        histórico/-a
    tradicional
                        ideal para...
                                        moderno/-a
    turístico/-a   con encanto

3. Completamos las frases

Completa con *hay* o *está/n*.

1. En mi pueblo no _____ mucho tráfico. Como es pequeño, todo _____ cerca.
2. ● ¿Dónde _____ el museo de arte?
   ▲ El museo _____ en el centro de la ciudad.
3. ● ¿_____ una parada de autobús cerca de tu casa?
   ▲ No, no _____ una parada de autobús, pero el metro no _____ lejos.
4. ● El mercado _____ en la calle Bolívar.
   ▲ ¿En la calle Bolívar _____ también tiendas de antigüedades?
   ● Sí, claro.
5. ● ¿_____ casas antiguas en tu barrio?
   ▲ No, mi barrio es moderno. Las casas antiguas _____ en el centro de la ciudad.

4. ¿A la derecha o a la izquierda?

a. Lee las frases y marca en el plano los lugares en que se encuentran los edificios. Comprueba después tus resultados con la ayuda de las soluciones.

1. **El bar** está a la izquierda de la estación de tren.
2. **El museo** está entre la farmacia y la iglesia.
3. **El restaurante** está detrás del parque.
4. **El hotel** está lejos de la plaza.
5. **La parada** de autobús está enfrente del parque.

b. Paulina y Diego, nuestra pareja de bailarines del libro de texto, quedan, pero hay algunos problemas de comunicación. Escucha y anota el orden en el que se mencionan los lugares. Sobran dos. ▶ 21

___ cerca de la farmacia   ___ detrás de la plaza   ___ delante de la estación
___ enfrente del parque   ___ al lado de la iglesia   ___ lejos del banco

5. Un paseo por San Fernando

a. Escucha el diálogo entre Cecilia y Óscar, que están paseando por San Fernando. ¿Qué se puede hacer allí? Anota si es verdadero (*v*) o falso (*f*). ▶ 22

"En San Fernando podemos..."

	v	f		v	f
... admirar arte popular.	○	○	... comer platos internacionales.	○	○
... ir a la playa.	○	○	... escuchar música en vivo.	○	○
... ir al Centro de Arte Moderno.	○	○	... comprar artesanía como	○	○
... tomar unas copas en un bar.	○	○	recuerdo para llevar a casa.		

b. ¿Qué hacen Cecilia y Óscar? Escucha otra vez y completa.

Primero _____.
Después _____.
Luego _____.
Al final _____.

6. ¿Cómo van a...?

Tacha las expresiones incorrectas.

Teresa va al / en el trabajo a / en bici, pero prefiere ir a / en autobús al / en el centro porque está más lejos. En su ciudad no hay metro, pero hay un tranvía. Hace sus compras al / en el mercado y va a / en pie porque está muy cerca. Su marido va a la / en la oficina a / en autobús. No le gusta la bicicleta y cree que la moto es solo para jóvenes. Teresa y su marido usan el coche solamente los fines de semana. Les gusta ir a / en coche a / en las montañas. El tren es muy caro y no hay buenas conexiones.

7. Una encuesta

Responde a la encuesta sobre medios de transporte y escribe después dos frases sobre el tema en tu cuaderno.

ENCUESTA

1. ¿Qué medios de transporte usas normalmente? Marca del 1 (más usado) al 8 (menos usado).

___ coche   ___ moto   ___ tren   ___ tranvía   ___ bicicleta   ___ metro   ___ autobús   ___ a pie

2. ¿Eliges un medio de transporte porque es...? (marcar máximo tres opciones):

○ barato ○ agradable ○ ecológico ○ cómodo ○ práctico ○ rápido ○ puntual

3. ¿A qué lugares vas normalmente a pie?

○ a la oficina   ○ a la compra   ○ a casa de mis padres   ○ a la universidad
○ al gimnasio   ○ al parque   ○ al curso de español   ○ al centro

4. ¿Qué opinas sobre estos medios de transporte? Relaciona cada medio de transporte con uno o dos adjetivos.

Ir en tren es...   Ir a pie es...   caro   práctico   barato

Ir en metro es...
        Ir en coche es...   Ir en tranvía es...   rápido   ecológico

    Ir en moto es...

Ir en autobús es...   Ir en bicicleta es...   puntual   cómodo   agradable

8. Ir, poder y ver

a. Añade los verbos que faltan.

	yo	tú	él/ella/usted	nosotros/-as	vosotros/-as	ellos/ellas/ustedes
ir	_____	vas	_____	vamos	_____	_____
poder (o>ue)	_____	_____	_____	_____	podéis	pueden
ver	veo	_____	ve	_____	_____	_____

b. Tomás y Meli van a la oficina de turismo de Madrid. Completa los diálogos con las formas verbales que correspondan de los verbos *poder, ir* o *ver*. Después, escucha y comprueba. ▶ 23

- ● Hola, buenos días. ¿Nos _____ (poder, usted) ayudar?
- ■ Claro. ¿Qué _____ (poder, yo) hacer por vosotros?
- ● ¿Qué _____ (poder, nosotros) hacer en Madrid en un día?
- ■ ¡Uf! Bueno, _____ (poder, vosotros) visitar el Palacio Real, la catedral de la Almudena...
- ▲ Yo quiero ver el Palacio Real.
- ● Pero yo prefiero ver la catedral.
- ■ Bueno, entonces, primero _____ (ver, vosotros) la catedral, que es muy bonita. Los turistas _____ (poder, ellos) subir a la terraza...
- ▲ Sí, y luego _____ (ver, nosotros) el Palacio Real. ¿Y para ir de compras...?
- ● ¡Ay no! ¡Ay no! ¡Compras otra vez!
- ■ Madrid es famoso por sus tiendas. Muchas personas _____ (ir, ellas) de compras a las calles alrededor de la Gran Vía, la Puerta del Sol, la Plaza Mayor... Es la zona del centro.
- ● Perdone, ¿y a dónde _____ (ir, ella) la gente a tomar tapas en Madrid?
- ■ También a la zona del centro.
- ● Entonces tú _____ (ir) de compras y yo _____ (ir) a tomar tapas.

9. ¿*Muy* o *mucho*?

a. Completa con *muy* o *mucho/-a/-os/-as*.

_____ músicos	_____ tranvías	_____ cerca	_____ tiendas
_____ tradicional	_____ ríos	_____ coches	_____ caro
_____ ventanas	_____ práctico	_____ calles	_____ parques

b. Completa los diálogos con *muy* o *mucho/-a/-os/-as*.

1. ● ¿Te gusta ir a pasear?   ▲ Sí. Me gusta _____.

2. ● ¿Y prefieres ir en tren o en coche?   ▲ En tren. Creo que el tren es _____ práctico y puntual.

3. ● _____ personas prefieren ir en bicicleta.   ▲ Si quieres hacer _____ deporte, es el medio de transporte ideal. Pero yo prefiero la moto. ¡Ir en moto es _____ agradable!

4. ● Juan, ¿y cómo es tu pueblo?   ▲ Pues es _____ bonito. Hay _____ casas antiguas y las calles son _____ estrechas y no hay _____ coches.

5. ● A mí me gusta vivir en la ciudad. ¡Hay _____ museos!   ▲ Sí. Y también eventos culturales _____ interesantes.

10. Mis recomendaciones

Unos amigos españoles visitan tu país. ¿Qué lugares les recomiendas?

1. (visitar un museo) Podéis _____
2. (comer en un restaurante) Podéis _____
3. (nadar en una playa, río o lago) Podéis _____
4. (pasear por una calle) Podéis _____
5. (comprar en un mercado) Podéis _____
6. (alojarse en un hotel) Podéis _____

Mis palabras

11. ¿Qué haces normalmente?

¿Qué actividades haces normalmente en los siguientes lugares? Puede haber más de una opción.

| mirar obras de arte | nadar | estudiar | dormir | correr | leer un libro | comprar |
| bailar | comer | jugar a la pelota | desayunar | llevar gafas de sol | pasear |

En un parque	En un mercado	En una discoteca	En un museo	En un hotel	En una biblioteca	En una piscina
_____	_____	_____	_____	_____	_____	_____
_____	_____	_____	_____	_____	_____	_____
_____	_____	_____	_____	_____	_____	_____

12. Medios de transporte

a. Escribe los medios de transporte debajo de las imágenes.

| el tren | el coche | el tranvía | ir a pie | el autobús | la bicicleta | la moto | el metro |

1. _____

2. _____

3. _____

4. _____

5. _____

6. _____

7. _____

8. _____

b. Escribe el medio de transporte correspondiente, según tu opinión.

1. Es muy rápido:
2. Es muy lento:
3. Es muy ecológico:
4. Es muy caro:

5. Es muy puntual:
6. Es muy cómodo:
7. Es muy barato:
8. Es muy agradable:

13. Transportes en Buenos Aires

Algunos transportes se llaman de otra manera en Buenos Aires. ¿A cuál de los siguientes transportes corresponden estas tres palabras?

| el autobús | el coche | el tren | el tranvía | el metro |

1. el auto: _____
2. el subte: _____
3. el colectivo: _____

14. Los intrusos

En cada grupo de palabras se esconde un término que no encaja en el grupo. Encuéntralo y táchalo.

1. calle – tráfico – parque – mercado
2. norte – sur – metro – oeste
3. turístico – tradicional – barrio – moderno
4. a la izquierda – descansar – al lado del – enfrente del
5. primero – después – lugar – al final
6. coche – foto – tren – bici
7. puntual – ecológico – rápido – recorrido
8. museo – iglesia – farmacia – río

Sonidos del español

15 . ¿Eñe o ene?

a. Escucha las palabras y anota el orden. ▶ 24

___ compa___ero	_1_ cumplea___os	___ champa___a	___ pe___a	___ monta___a
___ ara___a	___ se___ora	___ to___o	___ cu___ado	___ maña___a
___ u___a	___ champi___ón	___ cu___a	___ sue___o	

b. Escucha de nuevo y completa con *eñe* o *ene*.

Mis avances en la lengua

Has llegado al final de la unidad 6. ¡Ya has logrado hacer la mitad de las unidades!
Aquí puedes ver todo lo que has aprendido.

Sé...

🗨 Describir mi ciudad y mi barrio.
  Mi barrio es _____.

🗨 Preguntar y decir lo que hay en un lugar.
  En mi barrio hay _____.

🗨 Preguntar e indicar dónde se encuentra alguien o algo.
  La farmacia está _____.

🗨 Mencionar medios de transporte y valorarlos.
  Yo voy _____ _porque_ _____.

Mi carpeta de textos

a. Responde a las preguntas sobre tu lugar de residencia.

iglesia   discoteca   hospital   escuela   biblioteca   museo   mercado   plaza

piscina pública   parque infantil   guardería   gimnasio   restaurante   río   parque

bar

¿Qué hay en tu ciudad/pueblo/región? _____.
¿Cómo es? _____.
¿Dónde está? _____.
¿Por qué te gusta ese lugar? _____.
¿Quién va a ese lugar? _____.

b. Con tus respuestas escribe ahora un texto breve sobre tu lugar de residencia.

Test

Elige la opción correcta.

1. En San Telmo _____ muchos edificios antiguos.
   a. están
   b. son
   c. hay

2. Las tiendas _____ en la calle Defensa.
   a. están
   b. son
   c. hay

3. Aquí está _____ de autobús.
   a. la plaza
   b. cerca
   c. la parada

4. ● ¿Dónde está tu barrio?
   ▲ En _____ la ciudad.
   a. el sur
   b. sur de
   c. el sur de

5. Estoy lejos _____ estación.
   a. al
   b. del
   c. de la

6. La farmacia está entre _____ hotel y la iglesia.
   a. del
   b. el
   c. al

7. ¿_____ vosotros recomendarme un restaurante?
   a. Podemos
   b. Podéis
   c. Pueden

8. Primero puedes dar un paseo, _____ puedes ir a la playa y luego puedes comer en casa.
   a. detrás
   b. después
   c. delante

9. Vamos al gimnasio ____ coche.
   a. de
   b. a
   c. en

10. ¿Vas a clase ____ pie?
    a. con
    b. a
    c. en

11. Ellos van _____ cine el sábado.
    a. en
    b. a
    c. al

12. Yo no _____ a la escuela hoy.
    a. voy
    b. va
    c. veo

13. En mi ciudad no hay _____ carriles para bicicletas.
    a. muy
    b. muchas
    c. muchos

14. Viajar en tren es _____ ecológico.
    a. mucho
    b. muy
    c. mucha

15. Me gusta _____ cantar y bailar.
    a. mucho
    b. muy
    c. muchos

16. ● ¿_____ vas al trabajo?
    ▲ Voy _____ moto.
    a. Cuándo / en
    b. Cómo / en
    c. Cuánto / a

17. Viajar en autobús no es caro, es _____.
    a. grande
    b. barato
    c. estrecho

18. Mi lugar _____ en mi barrio es el bar Cocó.
    a. prefiero
    b. agradable
    c. favorito

19. _____ comer podemos ir al restaurante Candela.
    a. Por
    b. Para
    c. De

20. ¿Qué medio de transporte _____ tú?
    a. prefiero
    b. preferís
    c. prefieres

MI DÍA A DÍA

1. Todo en orden

a. Anota los infinitivos en la tabla y completa con las formas verbales que faltan.

salir   volver   hacer   vestirse   empezar   jugar   acostarse   ~~querer~~   pedir

	infinitivo	yo	tú	él/ella/usted	nosotros/-as	vosotros/-as	ellos/ellas/ustedes
e > ie			empiezas				
	querer						
o > ue							vuelven
		me acuesto					
e > i				se viste			
						pedís	
u > ue					jugamos		
-g-		salgo					
					hacemos		

b. ¿Por qué hay algunas celdas blancas? Subraya la respuesta correcta.

> **MI GRAMÁTICA:**
> En las celdas blancas aparecen las formas regulares/irregulares.

2. Las actividades del día

¿Cuándo haces estas cosas? Anota las siguientes actividades en el recuadro correspondiente, según tu día a día.

escuchar la radio   salir de casa
volver a casa   levantarse   ir al súper
hacer deporte   cenar   vestirse
ver la televisión   empezar a trabajar
despertarse   acostarse   leer un libro
almorzar   ducharse

POR LA MAÑANA ☀

_____
_____
_____

AL MEDIODÍA ☀

_____
_____
_____

POR LA TARDE ☀

_____
_____
_____

POR LA NOCHE ☾

_____
_____
_____

3. Un día normal para Paula

a. Paula vive con su hijo Daniel, de 13 años. Completa los textos sobre su día a día con los verbos adecuados.

desayunar   salir   empezar   ducharse   vestirse   levantarse   despertarse

POR LA MAÑANA
Paula _____ el día muy temprano. _____ a las seis y lee un rato en la cama.
Después _____ _____ con tranquilidad y _____ _____ antes de preparar el desayuno.
Su hijo _____ _____ a las siete. _____ juntos y _____ de casa a las ocho.

ir   almorzar (x 2)   hacer

AL MEDIODÍA
Daniel _____ en el colegio. Paula tiene dos horas de pausa a mediodía. _____ algo
rápido en la oficina y _____ al gimnasio o _____ la compra en el súper.

volver (x2)   preparar   jugar

POR LA TARDE
Daniel _____ a casa a eso de las cuatro y media. Después de hacer los deberes _____
un poco con el ordenador. Paula _____ más tarde y _____ la cena para los dos.

acostarse   ver   leer   preferir

POR LA NOCHE
Paula y Daniel _____ cenar temprano, a eso de las ocho. Después de cenar _____ la tele.
Finalmente, a eso de las diez Daniel _____ _____. Paula _____ un rato antes de acostarse.

b. Escribe a continuación un texto parecido sobre un día cualquiera de tu vida.

4. ¿Antes o después?

a. Completa con la palabra que corresponde.

1. ● ¿Cuándo haces la compra?
   ▲ Antes de la _____. (comida/comer)

2. ● ¿Vamos al cine después de _____? (cena/cenar)
   ▲ Sí, sí, buena idea. Vamos.

3. ● ¿A qué hora empiezas a trabajar?
   ▲ A las ocho, pero antes del _____, corro. (trabajo/trabajar)

4. ● ¿Cuándo te duchas?
   ▲ Siempre antes de _____. (desayuno/desayunar)

5. ● Tú haces yoga, ¿no?
   ▲ Sí, normalmente después de _____. (trabajo/trabajar)

b. Completa ahora
   la regla.

MI GRAMÁTICA:

Delante de un _____ se utiliza *antes/después de* + artículo (= *del / de la*),
delante de un _____ se utiliza *antes/después de* (sin artículo).

5. Horas y horas

a. Anota las horas.

A _____   B _____   C _____   D _____

b. Escucha los textos, marca las horas que se mencionan y dibuja las manillas
   en los relojes. ▶ 25

1.
○ las nueve y cuarto
○ las nueve menos
   cuarto

2.
○ las cinco y cinco
○ las cinco menos
   cinco

3.
○ las seis y media
○ las diez y media

4.
○ las tres en punto
○ las tres menos
   veinticinco

6. Horarios

a. ¿Verdadero o falso? Marca con *v* (verdadero) o con *f* (falso).

	v	f
1. El doctor trabaja por la mañana y por la tarde.	○	○
2. Tiene tres horas de pausa a mediodía.	○	○
3. Por la mañana, el doctor trabaja cuatro horas.	○	○
4. Por la tarde abre a las cuatro.	○	○
5. El doctor cierra a las nueve de la noche.	○	○
6. El doctor trabaja los sábados.	○	○

DOCTOR FELIPE ESTRELLA

MEDICINA GENERAL
Lunes a viernes:
Mañanas de 10:00 a 14:00
Tardes de 16:00 a 20:00

Cerrado los fines de semana

b. Formula preguntas sobre el día a día del doctor Felipe Estrella.

7. En orden

¡Socorro! Estas frases se han desordenado. Ordena las palabras correctamente.

1. empieza / las / a / escuela / ocho / La _____
2. sobre / Los / las / almuerzan / doce / niños _____
3. pausa / y / una / doce / Tienen / las / entre / una / la _____
4. Vuelven / las / a / casa / cinco / sobre _____
5. trabajo / menos / Sale / más / del / o / ocho / a / las _____

8. Actividades de tiempo libre

¿A qué actividades corresponden las siguientes imágenes?

1 _____

2 _____

3 _____

4 _____

5 _____

6 _____

7 _____

8 _____

9 _____

10 _____

9. Javier y su tiempo libre

¿Qué hace Javier durante la semana? ¿Y el fin de semana?
Escucha la encuesta y anota las actividades. ▶ 26

Durante la semana, Javier
escribe correos electrónicos...
_____
_____ .

Durante el fin de semana, Javier
_____
_____
_____ .

10. ¿*Nunca o siempre*?

a. Ordena las siguientes expresiones según su frecuencia.

siempre | a veces | casi nunca | una vez a la semana | todos los días
a menudo | dos veces a la semana | nunca

[ ] [ ] [ ] [ ] [ ] [ ] [siempre]

b. ¿Quién hace las siguientes actividades: Beto, Licha, o Caro y Nina? ¿Qué piensas?
Escribe el número de las fotos en las frases. A continuación, escucha y comprueba. ▶ 27–29

BETO

LICHA

CARO Y NINA

___ levantarse tarde
___ desayunar tranquilamente
___ empezar a trabajar por la tarde
___ almorzar a menudo en un restaurante
___ acostarse tarde casi siempre
___ volver a casa a medianoche
___ acostarse antes de las nueve
___ tocar el piano por la tarde
___ cocinar para la cena
___ ir al colegio temprano todos los días

Mis palabras

11. ¿De o por?

Completa con *de* o *por*.

1. Empiezo a trabajar a las cuatro _____ la tarde.
2. Siempre estudio _____ la noche.
3. Desayuno entre las siete y las ocho _____ la mañana.
4. No me gusta salir _____ la noche.
5. Nunca me despierto antes de las siete _____ la mañana.
6. Los sábados _____ la noche salgo con mis amigos.

12. Rutina

Ordena los siguientes verbos según tu rutina diaria. Escríbe un pequeño texto con ellos..

| acostarse | desayunar | almorzar | salir del trabajo | de clase | levantarse |

| ir al trabajo / a clase | cenar | volver a casa | salir de casa |

Primero, me despierto, ...

13. ¿Con quién combino?

Anota las expresiones en la columna correcta.

| yoga | la guitarra | al cine | de compras | al fútbol | al teatro |

| senderismo | el piano | al tenis | deporte | al golf |

tocar	jugar	hacer	ir
_____	_____	_____	_____
_____	_____	_____	_____
_____	_____	_____	_____

14. Verbos de hábitos

Relaciona.

1. navegar	a. muy temprano
2. desayunar	b. en internet
3. levantarse	c. la televisión
4. ver	d. a casa
5. cerrar	e. un café con leche
6. volver	f. libros
7. hacer	g. deporte
8. leer	h. la puerta

15. Los sábados

¿Qué haces normalmente los sábados a estas horas?

1. A las ocho de la mañana: _____
2. A las diez de la mañana: _____
3. A las doce del mediodía: _____
4. A las tres de la tarde: _____
5. A las seis de la tarde: _____
6. A las diez de la noche: _____

Sonidos del español

16. ¿Pregunta o respuesta?

¿Pregunta o afirmación? Escucha las frases y completa con los signos correspondientes (¿? o punto). ▶ 30

1. ___Nunca salgo los domingos___
2. ___En el triatlón, los atletas corren y nadan___
3. ___Su madre toca el piano___
4. ___Los viernes juegan al tenis en el club___
5. ___No te gusta ir de compras___
6. ___Desayunamos antes de salir de casa___
7. ___Inés y Ana hacen yoga___
8. ___El jefe almuerza en un restaurante japonés___
9. ___A Clara le gusta el fútbol___
10. ___Vais al cine este fin de semana___

> **INFORMACIÓN:**
> En una pregunta, la entonación final es ascendente; en una afirmación, la entonación final es descendente.

Mis avances en la lengua

Ya has llegado al final de la unidad 7. ¡Felicidades! Anota los avances que has hecho.

Sé...

- Hablar de las actividades del día a día.
  Me levanto .
- Describir el transcurso del día.
  Por la mañana .
- Preguntar y dar la hora.
  ¿Qué ? .
- Expresar la frecuencia.
  Tres veces por semana, .
- Hablar de las actividades del tiempo libre.
  Toco el piano,

Mi carpeta de textos

Escribe un texto sobre un día en tu vida. Divide el día en momentos (*por la mañana...*) y utiliza adverbios de frecuencia (*a menudo, a veces...*). Indica horas concretas (*a las tres...*). Describe tu día a día (*me levanto...*), pero cuenta también algo sobre tu tiempo libre (*juego al tenis...*). ¡Y no te olvides de guardarte el texto!

Durante la semana, por la mañana me levanto a las siete, pero los fines de semana duermo hasta las nueve...

Test

Elige la opción correcta.

1. Mi momento favorito del día es _____ la noche.
   a. de
   b. por
   c. para

2. Cuando _____ de la oficina, vuelvo a casa.
   a. voy
   b. trabajo
   c. salgo

3. Antes _____ comida voy al supermercado.
   a. del
   b. de la
   c. de

4. ● ¿Qué hora es?
   ▲ _____ las dos y media.
   a. Es
   b. Está
   c. Son

5. Me levanto _____ las seis y las siete.
   a. más o menos
   b. entre
   c. sobre

6. A las siete _____ la tarde voy al gimnasio.
   a. en
   b. de
   c. por

7. Son las siete _____ (06:45).
   a. y media
   b. y cuarto
   c. menos cuarto

8. Yo empiezo _____ las nueve.
   a. a trabajar
   b. a trabajar a
   c. trabajar a

9. ¿Cuándo vuelven ustedes _____ casa?
   a. a
   b. en
   c. al

10. ¿Vas a clase _____ pie?
    a. con
    b. a
    c. en

11. Quiero _____ compras al centro comercial.
    a. ir a
    b. ir de
    c. ir

12. _____ días estudio un poco.
    a. Todos los
    b. Todas
    c. Todos

13. Vamos al cine _____ menudo.
    a. muy
    b. a
    c. de

14. _____ hago yoga.
    a. Nunca no
    b. Nunca
    c. Nunca casi

15. Juego al tenis tres veces _____.
    a. la semana
    b. semana
    c. a la semana

16. ● ¿A qué hora almuerzas?
    ▲ _____ una.
    a. La
    b. A la
    c. Entre la

17. Yo siempre _____ con mis amigos.
    a. sale
    b. salgo
    c. salo

18. Siempre desayuno tranquilamente, _____.
    a. sin prisa
    b. sobre todo
    c. al contrario

19. Por la noche _____ muy poco.
    a. almuerzo
    b. ceno
    c. desayuno

20. ¡Me encanta _____ senderismo!
    a. salir
    b. jugar
    c. hacer

DE VACACIONES

1. De vacaciones

¿De qué tipo de viaje se habla?

1. ___ Para familias jóvenes con niños pequeños, como nosotros, es el mejor destino. Nos gusta descansar, tomar el sol, nadar y jugar con los niños en la arena.

2. ___ A mis hijos les gusta mucho ir a sitios exóticos, conocer las costumbres del lugar, probar las especialidades gastronómicas y practicar deportes extremos.

3. ___ Pues yo prefiero viajar sola a destinos variados. En general, prefiero la comodidad de un buen hotel en el centro de la ciudad, cerca de los museos y de los monumentos principales.

4. ___ ¿Las vacaciones? ¡Mejor lejos de la ciudad y del estrés! Mi familia y yo preferimos la tranquilidad del campo y el contacto con la naturaleza.

a. VACACIONES CULTURALES

b. VACACIONES DE AVENTURA

c. TURISMO RURAL

d. VACACIONES EN LA PLAYA

2. ¿Y a dónde vamos?

Completa el diálogo con las expresiones del recuadro..

te interesan   Me encanta   A mí
les interesa   me gusta
me gustan   No me gustan

● Marisa, ¿a dónde vamos de vacaciones este año?
▲ Bueno..., vamos a ver ofertas de viaje en internet. Bea, ¿_____ las grandes ciudades europeas?
● ¿Ciudades? ¿En julio? ¡Ay, no! A mí _____ ir a la playa y descansar.
▲ Mmm... No sé..., la playa... _____ me interesa la cultura, visitar museos, iglesias, ruinas...
● La cultura _____ a los mayores, no a los jóvenes.
▲ ¿Y el campo? Podemos hacer turismo rural.
● Bueno..., sí..., _____ mucho la naturaleza y el campo..., pero prefiero la playa para descansar y tomar el sol. ¡_____ nada los deportes!
▲ Al menos estamos de acuerdo en eso. Nada de deportes. ¡Cultura!
● Uf. Tú y la cultura... ¿Y si vamos a Málaga? Así, tú vas a los museos y yo a la playa.
▲ ¡Genial! _____ la idea.

3. Preferencias de viajes

a. Escucha lo que dicen las personas y numera: ¿qué tipo de turistas son? ▶ 31

___ intelectual   ___ sociable   ___ aventurero/-a   ___ solitario/-a

b. Johanna, una alumna del curso, ha rellenado el formulario del libro de texto. Escribe un texto breve sobre sus costumbres cuando viaja. ¿Qué tipo de turista es Johanna?

1. ¿Con quién le gusta pasar las vacaciones?	2. ¿Cuándo le gusta viajar?	3. ¿Qué destinos le gustan?	4. ¿Dónde le gusta alojarse?	5. ¿Cómo le gusta viajar?
X Solo/-a ◯ Con amigos ◯ Con mi pareja ◯ Con mi familia ◯ En viajes organizados	◯ En primavera ◯ En verano X En otoño ◯ En invierno	◯ La playa ◯ La montaña X Las zonas rurales ◯ Las grandes ciudades	◯ En un hotel ◯ En un *camping* ◯ En un apartamento X En una casa rural	◯ En avión ◯ En barco X En tren ◯ En autobús ◯ En coche X En bicicleta

4. Los gustos de Bea y Marisa

a. Relaciona estas expresiones con las frases que siguen con ayuda de la información del ejercicio **2**.

◯ A Marisa tampoco ◯ A Marisa sí ◯ A Marisa también ◯ A Marisa no

1. A Bea no le gustan las grandes ciudades.
2. A Bea le encantan las playas.

3. A Bea le gustan la naturaleza y el campo.
4. A Bea no le gustan los deportes.

b. ¿Qué tipo de vacaciones prefieren Bea y Marisa?

5. ¿Te gusta este hotel?

a. Marisa y Bea buscan un hotel en Málaga. Escucha el dialogo. ¿Por qué hotel se deciden? ▶ 32

b. Escucha de nuevo e indica qué prestaciones se mencionan.

c. ¿Qué hotel eliges si...?
(PM = Posada Málaga, MC = Málaga Centro)

1. Quieres tener pensión completa o media pensión. _____
2. Te gusta hacer excursiones en bicicleta. _____
3. Te gusta estar en el centro. _____
4. Quieres ver la playa y el mar. _____
5. Viajas en tu coche. _____
6. Te gusta mucho nadar, pero no en el mar. _____
7. Te gustan los masajes. _____

POSADA MÁLAGA

HOTEL MÁLAGA CENTRO

6. Reserva en Madrid

a. Raúl quiere ir a Madrid y ha buscado un hotel. Escucha cómo habla con la recepcionista y rellena el formulario de reserva. ▶ 33

HOTEL MADRID RECUERDO

NÚMERO DE PERSONAS: _____   **FECHA** DE LLEGADA: _____
NÚMERO DE HABITACIONES: _____   **FECHA** DE SALIDA: _____

TIPO DE HABITACIÓN: **SERVICIOS:**
○ INDIVIDUAL   ○ DESAYUNO
○ DOBLE   ○ MEDIA PENSIÓN
○ TRIPLE   ○ PENSIÓN COMPLETA   Ver disponibilidad

b. Completa con los verbos en singular o plural. ¿Qué prestaciones ofrece el hotel? Escucha de nuevo y señala la respuesta correcta.

1. Se _____ (poder) cenar a la carta.   ○ Sí   ○ No
2. Se _____ (alquilar) bicicletas.   ○ Sí   ○ No
3. Se _____ (aceptar) tarjetas de crédito. ○ Sí   ○ No
4. Se _____ (admitir) animales.   ○ Sí   ○ No

7. Los participios

a. Completa con los verbos que faltan en infinitivo y en participio.

	Infinitivo	Participio		Infinitivo	Participio
-AR	alquilar		irregulares		dicho
		viajado		escribir	
-ER	ser			poner	
		conocido			visto
-IR	ir				vuelto
	vivir			hacer	

b. Completa las frases con las formas adecuadas del verbo auxiliar *haber*.

1. Antonio y su familia _____ pasado una semana en una casa rural.
2. Este año Ana y yo _____ hecho un viaje por Guatemala.
3. ¿Ya _____ escrito las postales para tu familia?
4. Clara no _____ ido a Perú, _____ estado en México.
5. Hoy _____ vuelto de mi viaje a Londres.
6. ¿David y tú _____ visto ya la exposición de Dalí?

8. ¿Qué han hecho?

Escribe siete frases en pretérito perfecto. Combina los elementos que aparecen en las columnas.

Hoy Esta mañana Esta semana Este año	tus hijos Elvira Jaime y Rosita nosotros yo vosotros el señor Ruiz	(no)	visitar ruinas leer el periódico pasar unos días en la playa hacer el Camino de Santiago pasear por el bosque tomar vino tinto subir a un volcán nadar en un río alquilar una bicicleta desayunar

9. Por fin en Málaga

Marisa y Bea están ya en Málaga y tienen muchos planes.
¿Qué han hecho ya? ¿Qué no han hecho todavía?

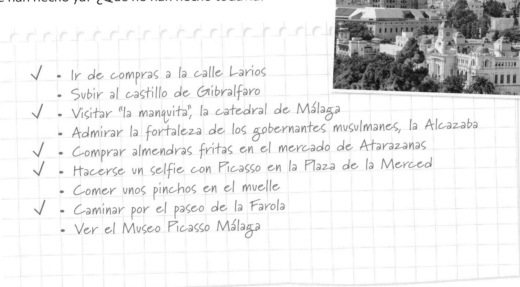

✓ · Ir de compras a la calle Larios
 · Subir al castillo de Gibralfaro
✓ · Visitar "la manquita", la catedral de Málaga
 · Admirar la fortaleza de los gobernantes musulmanes, la Alcazaba
✓ · Comprar almendras fritas en el mercado de Atarazanas
✓ · Hacerse un selfie con Picasso en la Plaza de la Merced
 · Comer unos pinchos en el muelle
✓ · Caminar por el paseo de la Farola
 · Ver el Museo Picasso Málaga

Marisa y Bea ya han ido de compras a la calle Larios. Todavía no han...

10. ¿Te has levantado temprano hoy?

Pregunta a tu compañero si ha hecho hoy las siguientes actividades.

levantarse temprano	venir a clase a pie / en metro / en autobús	leer	tomar un café	estudiar

trabajar	hablar por teléfono	hacer los deberes	escuchar música	hacer deporte

–¿Te has levantado temprano?
–Sí, me he levantado a las siete. ¿Y tú, te has levantado temprano?

Mis palabras

11. Lugares

Completa las siguientes palabras.

1 c _ _ e _ r _ a _   **2** p _ a _ a   **3** m _ r _ a _ o   **4** _ a _ o   **5** r _ i _ a _   **6** v _ l _ á _

12. Vacaciones

Relaciona.

1. casa
2. hacer
3. descubrir
4. países
5. viajar por
6. alquiler de
7. habitación
8. acceso
9. tomar
10. alquilar
11. tarjeta
12. media

a. doble
b. sitios nuevos
c. el sol
d. senderismo
e. a internet
f. exóticos
g. rural
h. de crédito
i. un apartamento
j. mi cuenta
k. pensión
l. bicicletas

13. Las estaciones

a. ¿Qué estaciones del año corresponden a los siguientes meses en España?

1. julio – agosto – septiembre: _____   3. octubre – noviembre – diciembre: _____

2. abril – mayo – junio: _____   4. enero – febrero – marzo: _____

b. ¿Qué tipo de actividades haces tú en cada estación?

En primavera _____   En otoño _____

En verano _____   En invierno _____

14. En la habitación

¿Qué hay normalmente en la habitación de un hotel? Señálalo.

○ baño   ○ guardería   ○ televisión   ○ calefacción   ○ minibar   ○ internet gratuito

○ aparcamiento   ○ piscina   ○ restaurante   ○ ascensor   ○ aire acondicionado

15. Cadenitas

Continúa la cadena.

solo – con amigos – _____
la playa – las montañas – _____
hotel – casa rural – _____
nadar – visitar ruinas – _____
en avión – en tren – _____
televisión – minibar – _____
spa – aparcamiento – _____

Sonidos del español

16. ¿Con "ge" o con "jota"?

a. Completa las siguientes palabras con g o j. Si necesitas ayuda, la encontrarás en el libro de texto.

1. __ente   4. a__encia   7. ecoló__ico
2. me__or   5. paisa__es   8. via__ar
3. tar__eta   6. re__ión   9. ve__etariano

¡Ja, ja, ja, ja!

¡Ji, ji, ji!

¡Jo, jo, jo, jo!

b. Escucha de nuevo y comprueba. Presta atención a la diferencia. ▶ 34

> INFORMACIÓN: g delante de e/i se pronuncia como j (gigante), y delante de a/o/u se pronuncia como g (gato).

Mis avances en la lengua

Ya has llegado al final de la unidad 8. ¡Sigue así!

Sé...

- Hablar de mis gustos y preferencias.
  A Elena le encanta _____.
- Expresar acuerdos y desacuerdos.
  A él también _____.
- Reservar un hotel.
  Quería una habitación _____.
- Hablar del pasado.
  Esta mañana he estado _____.

Mi carpeta de textos

Escribe en tu diario sobre un viaje que has hecho hace poco. Piensa en un día concreto, un día especial de ese viaje e imagina que ha ocurrido hoy. Escribe en pretérito perfecto todo lo que has hecho, lo que has comido, etc. ¿Tienes también una foto de ese viaje? ☺

Hoy he visitado Valencia...

Test

Elige la opción correcta.

1. Me gustan las vacaciones de _____.
   a. culturales
   b. aventura
   c. la playa

2. Yo viajo siempre por _____.
   a. mi cuenta
   b. cuento
   c. mi cuento

3. Me _____ descubrir sitios nuevos.
   a. encanta
   b. gustan
   c. encantan

4. En las vacaciones, Juan normalmente _____ un apartamento.
   a. alquila
   b. renta
   c. aloja

5. ¿A _____ no te gusta viajar solo?
   a. tú
   b. ti
   c. te

6. ● No me gustan los viajes organizados.
   ▲ A mí _____.
   a. también
   b. no
   c. tampoco

7. En España, en _____ hace mucho calor.
   a. invierno
   b. verano
   c. otoño

8. Estoy en la habitación 72 y tengo que subir en _____.
   a. calefacción
   b. alquiler
   c. ascensor

9. En el hotel nadamos en _____.
   a. la piscina
   b. la guardería
   c. baño

10. En este hotel internet es _____.
    a. acondicionado
    b. gratuito
    c. aparcamiento

11. ● Me encanta visitar museos.
    ▲ A mí _____.
    a. tampoco
    b. sí
    c. no

12. ¿Tienen habitaciones _____ para el mes de septiembre?
    a. libres
    b. ruinas
    c. llenas

13. Quiero _____ una habitación para dos personas.
    a. alojar
    b. costar
    c. reservar

14. El desayuno _____ en el precio.
    a. está incluido
    b. es incluido
    c. pone incluido

15. ¿Se _____ tarjetas de crédito?
    a. cuestan
    b. pagan
    c. aceptan

16. No se _____ pagar con tarjeta de crédito.
    a. puede
    b. pueden
    c. hace

17. El cliente quiere _____ pensión.
    a. completa
    b. individual
    c. media

18. Quiero una habitación _____ 15 ____ 19 de julio.
    a. de / a
    b. del / al
    c. al / del

19. ¿Qué _____ hecho tú esta mañana?
    a. ha
    b. has
    c. he

20. _____ he viajado a Sudamérica.
    a. Todavía
    b. No todavía
    c. Todavía no

COMPRAR Y COMER EN ALICANTE

1. ¿Dónde podemos comprar...?

Completa los diálogos.

postales   vinos españoles   zapatos
ropa   crema solar

1. ● Disculpe, ¿dónde puedo comprar
_____?
   ▲ Pues creo que hay una bodega en esta calle.

3. ● Para las vacaciones solamente nos falta comprar una
_____.
   ▲ Vale. Yo paso por la perfumería y compro una.

2. ● Necesito urgentemente _____
para el baile del viernes.
   ▲ ¿Por qué no vas a la zapatería Manola, en el nuevo centro comercial?

4. ● ¿Dónde compran las chicas jóvenes
_____ actualmente?
   ▲ Pues en las tiendas de moda Para Ti. Hay dos en el centro.

5. ● ¡Qué _____ tan originales!
   ▲ Son de la tienda de recuerdos de la esquina.

2. ¿Qué prendas de ropa tienen en su armario?

¿Qué prendas de ropa tienen en su armario Carlos y Carla? Anota las respuestas.

traje   camiseta   corbata   ~~pantalones~~   jersey   zapatos   camisa
abrigo   falda   vaqueros   vestido   blusa   chaqueta   botas

CARLA

_____
_____
_____
_____

pantalones

_____
_____
_____

_____
_____

CARLOS

_____
_____

3. De colores

a. ¡Ponle color a tu armario! Combina las prendas de vestir con los colores.

prenda		color
pantalones	→	marrón
camiseta	→	negro
abrigo	→	rosa
vaqueros	→	gris
blusa	→	azul
chaquetas	→	naranja
botas	→	verde
corbata	→	amarillo
pañuelo	→	rojo

unos pantalones marrones

_____

_____

_____

_____

_____

_____

_____

b. ¿Y tú? ¿Qué ropa llevas? ¿De qué color es? Escribe frases.

Llevo una camisa...

4. Adivina adivinanza

Observa las fotos y completa las adivinanzas con las expresiones. ¿De qué prendas se trata?

de lana   a cuadros   ~~de seda~~   elegante   de colores

1. Es elegante, a rayas y es   *de seda.*   →   *la corbata (D)*
2. Es a rayas, gris y negro, y es _____ → _____
3. Es informal, de algodón y es _____ → _____
4. Son juveniles, cortos y son _____ → _____
5. Es corto, de verano y es _____ → _____

5. Cifras y más cifras

Escucha y marca las cifras que escuchas. ▶ 35

a. ○ 1036   b. ○ 140   c. ○ 2868   d. ○ 55   e. ○ 378 990
   ○ 1066   ○ 240   ○ 2878   ○ 65   ○ 378 900

ESTRATEGIA:
Antes de escucharlas,
lee en alto las cifras.
De esta manera te
será más sencillo
identificarlas.

6. Una cadena de tiendas en números

Una cadena de tiendas hace públicos sus números. Anota los números en letras.
¡Presta atención al género!

a. 6570 tiendas en todo el mundo: _seis mil quinientas setenta tiendas_
b. 234 nuevas aperturas al año en Europa: _____
c. 133 470 empleados a nivel mundial: _____
d. 3 441 969 metros cuadrados de superficie de ventas: _____
e. 474 tiendas en Asia: _____
f. 16 724 millones de euros de venta anual: _____

7. De compras

Berta se va de compras. Completa el diálogo con la vendedora con las formas
correctas de *este* o *ese*. Escucha después y comprueba. ▶ 36

● Buenos días. ¿Te puedo ayudar en algo?
▲ Hola. Bueno…, sí…, por favor. Necesito ropa para ir a una fiesta.
● Muy bien. ¿Quieres algo elegante, juvenil o prefieres algo más clásico?
▲ Algo elegante, pero no clásico. Tengo 22 años y no me quiero ver mayor.
● Entiendo. No te preocupes. Aquí tenemos de todo.
  A ver… ¿Te gusta _____ falda azul?
▲ Me gusta más _____, la negra.
● Bueno… Entonces la combinamos… Mmm,
  quizá con _____ blusa amarilla.
▲ Mmm…, no sé…, me gusta más _____ jersey.
● ¿_____?
▲ Sí, sí. _____, el naranja.
● Muy bien. ¿Qué talla tienes?
▲ La 38.
● Aquí está todo. ¿Quieres ver zapatos también?
▲ No, muchas gracias. Tengo _____ zapatos.
● ¿_____? No son adecuados para una fiesta.
▲ ¿Usted cree?

8. En el restaurante

¿Quién dice qué? Este diálogo se ha desordenado. Ordena las palabras en la forma correcta
e indica si las dice el cliente (CL) o el camarero (CA).

_CA_ 1. tomar? / van / ¿Qué / a   _¿Qué van a tomar?_
____ 2. agua / gas / botella / sin / de / Una
____ 3. favor? / cuenta, / la / trae / ¿Nos / por
____ 4. algo / postre? / de / ¿Toman
____ 5. supuesto, / por / mismo / ahora / Sí,
____ 6. segundo? / de / ¿Y
____ 7. sopa / una / primero / de / Para / mí,
____ 8. de / chocolate / café / un / y / Yo, / tarta / solo

9. ¿Cómo lo quiere?

¿De qué se habla aquí? Une las frases y escribe el pronombre de complemento directo.

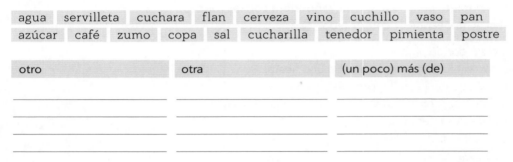

1. El gazpacho.
2. La cerveza.
3. El flan.
4. La merluza.
5. Las naranjas.
6. Los tomates.
7. El café.
8. El pan.

a. _____ hago yo en casa.
b. _____ compro en la frutería.
c. _Lo_ quiero de primero.
d. _____ bebo muy fría.
e. _____ tomo en ensalada.
f. _____ pido siempre con patatas.
g. _____ como tostado.
h. _____ tomo con leche.

10. ¡Camarero, por favor!

¿Cómo le pides al camarero estas cosas? Completa la tabla.

agua   servilleta   cuchara   flan   cerveza   vino   cuchillo   vaso   pan
azúcar   café   zumo   copa   sal   cucharilla   tenedor   pimienta   postre

otro	otra	(un poco) más (de)

11. Unimos frases

Une las frases con *que* o *donde*.

1. Una pastelería es una tienda. La tienda vende pasteles.
2. Casa Mercedes es una arrocería. La arrocería tiene la mejor paella de la ciudad.
3. Es una sidrería. En esa sidrería se toma la sidra más deliciosa.
4. Carmina y Luis están en la marisquería. En esa marisquería comemos los domingos.
5. La cervecería es famosa. La cervecería está en Múnich.
6. Una arrocería es un restaurante. En una arrocería hacen paellas.
7. El hotel es de lujo. El hotel está en Buenos Aires.
8. Cenamos en una pizzería. La pizzería está en el centro.
9. Compramos el pastel de cumpleaños en una pastelería. La pastelería es muy cara.

Marisquería
LA GAMBA

Mis palabras

12. Ropa para cada ocasión

¿Qué prendas utilizas en estas situaciones?

un traje   un vestido   un bañador   una camiseta   una camisa   una blusa
unos pantalones cortos   unas sandalias   unos zapatos (de tacón)   una corbata
unos pantalones vaqueros   una falda   una blusa   una chaqueta

1. Vacaciones en la playa	2. Boda de una prima	3. Entrevista de trabajo

13. ¿Qué necesitas?

¿Qué objeto necesitas?

La sopa se come con _cuchara (1)_.
La carne se come con _____ y _____.
Para el postre y el café necesito una _____.
El agua se bebe en un _____, pero el vino en una _____.
El arroz se sirve en un _____.
En la mesa siempre hay _____ y _____.
Para limpiarnos, utilizamos una _____.

14. El menú

Relaciona.

1. ensalada	a. sin gas
2. aceitunas	b. tinto
3. chuletas	c. al dente
4. tarta	d. mixta
5. sopa	e. de cordero
6. agua	f. solo
7. café	g. de chocolate
8. vino	h. de pescado
9. espaguetis	i. negras

15. Combinaciones imposibles

En estas combinaciones se han colado algunos errores. Busca las parejas correctas.

sandalias corta   patatas juveniles   falda negro   abrigo asado   tarta de cuero

blusa marrones   pollo gris   traje cómoda   chaqueta de chocolate   pantalones fritas

16. ¿Qué se puede comer, beber o comprar en estos lugares?

1. En una arrocería: _____
2. En una marisquería: _____
3. En una sidrería: _____
4. En una tienda de recuerdos: _____
5. En una zapatería: _____
6. En una freiduría: _____

17. ¿Cómo se llama el lugar donde venden...?

1. Pescado: _____
2. Carne: _____
3. Fruta: _____

4. Verdura: _____
5. Pasteles: _____
6. Cuadernos y bolígrafos: _____

Sonidos del español

18. La "b" y la "v"

a. Escucha las palabras y repite. ¿Cómo se pronuncian la b y la v?
   ¿Notas alguna diferencia? ▶ 37

1. **b**olsos	4. **v**erde	7. **b**lusas	10. **v**endedor
2. **v**inos	5. cor**b**ata	8. **v**estido	11. **B**olivia
3. **b**lanco	6. **v**aquero	9. **b**ar	12. Boli**v**ia

b. ¡Aprende este trabalenguas de memoria!

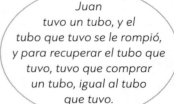

Juan tuvo un tubo, y el tubo que tuvo se le rompió, y para recuperar el tubo que tuvo, tuvo que comprar un tubo, igual al tubo que tuvo.

Mis avances en la lengua

Ya has llegado al final de la unidad 9. ¡Sigue así!
Aquí puedes ver los avances que has hecho ya.

Sé...

☾ Describir la ropa.
   El traje elegante .

☾ Describir colores y materiales.
   La falda roja es de lana

☾ Comprar.
   Quería unos zapatos .

☾ Pedir en el restaurante.
   Para mí, de primero .

☾ Pedir algo a alguien.
   ¿Me trae otro?

Mi carpeta de textos

Escribe un texto sobre una de tus tiendas favoritas o uno de tus restaurantes favoritos. ¿Dónde está?
¿Qué aspecto tiene? ¿Qué se puede comprar o comer allí? ¿Cuándo vas? ¿Con quién? ¿Con qué
frecuencia? Intenta utilizar todo lo que has aprendido hasta ahora.

Mi tienda favorita es...

Test

Elige la opción correcta.

1. Ana ha comprado _____ en una tienda de recuerdos.
a. zapatos
b. postales
c. perfumes

2. He visto unos pantalones _____ muy baratos.
a. cuadros
b. colores
c. cortos

3. Los vestidos _____ no me gustan.
a. naranjos
b. naranja
c. gris

4. _____ pantalones vaqueros son muy grandes.
a. Estos
b. Este
c. Estas

5. El jersey es muy _____.
a. clásica
b. juvenil
c. precioso

6. ¿Qué _____ de pantalones tienes?
a. prenda
b. número
c. talla

7. Dos más cien son: _____ dos.
a. cien y
b. ciento
c. ciento y

8. ¿Cuánto _____ estas botas?
a. cuesta
b. es
c. cuestan

9. ● ¿Puedo pagar con tarjeta?
▲ Sí, sí, _____.
a. verdad
b. claro
c. ya

10. Yo quiero una ensalada _____.
a. asada
b. a la romana
c. mixta

11. ¿Nos _____ la cuenta, por favor?
a. toma
b. trae
c. pregunta

12. ¡_____ pan, por favor!
a. Poco más
b. Más
c. Poco más de

13. Es un bar _____ está muy lejos del centro.
a. donde
b. cual
c. que

14. ¿Cómo voy vestida? _____ una camisa roja y una falda azul.
a. Pongo
b. Llevo
c. Tengo

15 ¿Y tienen este modelo _____ blanco?
a. a
b. de
c. en

16. _____, ¿ese jersey es de lana?
a. Pues
b. Por supuesto
c. Perdone

17. ● Quería una camiseta.
▲ ¿_____ color?
a. De cuál
b. De qué
c. Cuál

18. ¿Cómo quiero el café? _____ quiero solo.
a. Lo
b. Le
c. La

19. Este mes he ganado _____ (1100) euros.
a. cien mil
b. mil cien
c. mil y cien

20. El cuero es un _____ muy bonito.
a. color
b. accesorio
c. material

¡BUEN FIN DE SEMANA!

1. Adriana y sus planes

¡Tantas posibilidades! ¿Qué es lo que puede hacer Adriana? Completa con los verbos adecuados.

ir   pasear   ver   tomar   ir   hacer

_____ algo en una terraza   _____ una excursión   _____ una exposición
_____ a un concierto   _____ por la playa   _____ al cine

2. Vamos a Barcelona

a. Lee de nuevo la oferta de tiempo libre en Barcelona que hay en la página 89 del libro, y anota lo que te gustaría hacer.

1. Es lunes y tienes toda la tarde libre. ¿A dónde vas?
_____

2. Te gusta la música y hace buen tiempo. ¿Qué quieres hacer?
_____

3. Es jueves y hace mal tiempo. Son las 22:30, ¿qué puedes hacer?
_____

4. Has pasado toda la semana en Barcelona y quieres salir a conocer los alrededores.
¿A dónde puedes ir? _____

5. Quieres ver la exposición de Picasso y el Greco. ¿Cuándo puedes ir?
_____

b. ¿Qué van a hacer estas personas en Barcelona? Escribe frases completas con *ir a* + infinitivo.
Faltan dos complementos de tiempo. Añádelos tú.

1. Luisa / visitar Cadaqués / Mañana
2. Elena y Federico / cenar en Juanita Lalá / El domingo
3. Mis hijos y yo / el mes próximo / viajar a Barcelona
4. al cine / Tú / ir / _____
5. por el centro / Tu pareja y tú / pasear / _____

_____.
_____.
_____.
_____.
_____.

3. Hablamos de planes

Completa las preguntas con *ir a* + infinitivo.

1. ● Ana y Luis quieren ir al cine el sábado.   ▲ ¿Qué película _____?
2. ● Queremos cenar comida mexicana mañana.   ▲ ¿En qué restaurante _____?
3. ● Olga ha decidido ir de vacaciones el mes próximo a una isla del Caribe.
   ▲ ¿A qué isla _____?
4. ● Mi marido quiere hacer una excursión el fin de semana.   ▲ ¿A dónde _____?
5. ● He pensado hacer un curso la semana próxima.   ▲ ¿Qué tipo de curso _____?

4. El tiempo

¿Cómo es el tiempo? Describe las imágene con las expresiones que aparecen abajo.
Utiliza tantas expresiones como te sea posible.

hace viento   hace calor   hace cinco grados   hace dos grados bajo cero   hace frío
hace buen tiempo   llueve   nieva   hay niebla   ~~hace sol~~   está nublado

Hace sol... _____

_____   _____   _____   _____

_____   _____   _____   _____

_____   _____   _____   _____

5. Pronósticos para Sudamérica

a. ¿Cómo es el tiempo hoy en...? Observa el mapa y anota qué tiempo hace en las siguientes capitales.

En Quito _llueve y hace mal tiempo._
Hace ocho grados.

En Buenos Aires _____

En Asunción _____

En La Paz _____

En Santiago _____

En Caracas _____

b. Escucha y relaciona las capitales con los pronósticos. Comprueba con las respuestas del ejercicio **5a**. ▶ 38

a. Buenos Aires   Pronóstico ____
b. Asunción   Pronóstico ____
c. La Paz   Pronóstico ____
d. Santiago   Pronóstico ____
e. Caracas   Pronóstico ____
f. Quito   Pronóstico _1_

6. ¿A qué hora quedamos?

¿Quedar o quedarse? Tacha la forma que no corresponda.

1. ● ¿Por qué no vamos al cine esta tarde?
   ▲ ¡Qué buena idea! ¿Cómo *quedamos / nos quedamos?*

2. ● Oye, *¿quedamos / nos quedamos* el sábado para ir a tomar unas copas?
   ▲ Bueno, no sé. Es que tengo que *quedarme / quedar* en casa con mi sobrina.

3. ● Ya está la obra *La casa de Bernarda Alba* en el Teatro de la Ciudad. A ver cuándo *quedamos / nos quedamos* con Antonio y Rosalía para ir juntos.
   ▲ ¡Claro que sí! Los llamo ahora mismo. ¿Te parece el sábado?

4. ● Finalmente, ¿vas a salir con Jimena?
   ▲ No. Es que tiene que *quedar / quedarse* en Madrid para hacer un examen en la uni.

5. ● ¿Ya sabes la nueva? Juan y Marcela no regresan hoy de su viaje.
   ▲ Sí, lo sé. Me ha escrito Marce. Les ha gustado tanto que *quedan / se quedan* unos días más.

7. Vamos a quedar

a. Completa los huecos con las expresiones que aparecen abajo.

> quedarme   Tengo que   por qué no   Es que   Y si quedamos   quedamos   no puedo   Lo siento

● Oye, Julia, ¿qué crees? ¿Vamos al cine esta semana? Ya está en el cine la película ganadora del Óscar.

▲ Ay no, María. ¿De verdad? ¡Qué mala suerte! Esta semana ____ _____ ir al cine. No tengo tiempo.

● ¡Ay, mujer! Si son solamente dos horas, no dos días.

▲ Pues no tengo dos horas libres. _____ _____ estudiar para un examen.

● ¿____ ___ _____ el miércoles por la noche? No tienes clases...

▲ ____ _____, no puedo tampoco. ___ _____ el miércoles tengo que _____ en la biblioteca a hacer un trabajo.

● Uf... Entonces..., ¿_____ _____ ____ vamos el viernes? Ya termina la semana y tienes tiempo.

▲ Vale. ¿A qué hora _____?

b. Escucha y comprueba. ▶ 39

8. Las citas de Maritere

Varias personas quieren quedar con Maritere. Completa las frases teniendo en cuenta sus citas.

1. ● Hola, Maritere. ¿Te apetece ir al cine? ¿Qué tal el jueves a las 18:30?
   ▲ Bueno..., sí, claro que me apetece, pero _____
   _____.

2. ● ¡Maritere! ¿Quedamos el viernes a las 10:00 para jugar al tenis?
   ▲ ¡Hola, Carina! _____

3. ● ¿Conoces el nuevo museo de arte, Maritere? ¿Te apetece ir el sábado?
   ▲ ¡Claro, Luis! _____
   _____.

9. ¿Qué van a hacer?

Observa los siguientes objetos y escribe qué van a hacer estas personas.

1. Luisa y Andrea
_____
_____

2. Sandra
_____
_____

3. Vosotros
_____
_____

4. Tú
_____
_____

5. Nosotros
_____
_____

6. Álex _____
_____

10. ¿Conoces Varadero?

a. Lee el siguiente texto sobre Varadero.

¿Conoces Varadero? ¿No? Entonces todavía no conoces las playas más lindas del mundo. Las arenas blancas, la brisa tropical y las tranquilas aguas del Atlántico son el marco ideal para tus vacaciones.

Aquí puedes practicar casi cualquier deporte acuático: bucear, nadar, navegar, nadar con delfines…, o hacer una excursión de un día completo a Cayo Largo. A 30 minutos en avión desde Varadero encuentras playas increíbles. El precio de las excursiones es de 199 CUC aproximadamente. Incluye el vuelo, paseo en catamarán, almuerzo, bebidas…, y las playas, por supuesto.

Los amantes de la naturaleza prefieren una excursión a la península de Zapata o a la reserva ecológica Varahicacos, donde se puede practicar senderismo y observar aves exóticas.

Si deseas algo más cultural, puedes ir a Matanzas, a 40 km de Varadero. En las calles de Matanzas, "la Atenas de Cuba", se conoce la verdadera Cuba, se camina entre cubanos, se comparte con ellos un día normal: escuelas, mercados, puestos callejeros, tiendas…

b. Imagina que trabajas en la oficina de turismo de Varadero y respondes a las preguntas de los turistas.

1. ¿Qué deportes se pueden practicar en Varadero?
2. ¿Cuál es la mejor manera de viajar a Cayo Largo?
3. ¿Cuánto se tarda en ir en avión a Cayo Largo?

11. Expresiones

¿Estas exclamaciones son positivas o negativas? Marca tu respuesta.

1. ¡El vuelo no me ha gustado nada! ☺ ☹
2. ¡Ha sido un día precioso! ☺ ☹
3. ¡La playa me ha encantado! ☺ ☹
4. ¡Qué calor ha hecho! ☺ ☹
5. ¡Ha hecho un tiempo horrible! ☺ ☹

Mis palabras

12. Negativo o positivo

Clasifica las siguientes palabras.

horrible horroroso perfecto genial
bonito precioso espectacular
interesante ideal fantástico pésimo

POSITIVO	NEGATIVO
_____	_____
_____	_____
_____	_____

13. ¿Qué tal el día?

Escribe tus valoraciones positivas o negativas sobre lo que has hecho hoy, como en el ejemplo.

1. La película *La película no me ha gustado nada. Ha sido horrorosa.*

2. La clase
_____

3. El día
_____

4. El concierto

14. Información

a. Relaciona.

1. ¿Cuánto se tarda
2. ¿Se puede
3. ¿De dónde
4. ¿Qué se puede
5. ¿Nos puede recomendar
6. ¿Te apetece

a. en llegar?
b. sale el autobús?
c. ir en coche?
d. hacer allí?
e. venir con nosotros a la fiesta?
f. algún restaurante de comida típica?

b. ¿A qué preguntas corresponden estas respuestas?

a. Sí, y también en metro o en autobús. ◯
b. De la plaza de España. ◯
c. Hay muchos y muy buenos, pero uno de los más famosos es El Tenedor. ◯
d. Media hora, más o menos. ◯
e. Gracias, pero no puedo. ◯
f. Visitar la catedral y otros museos, alquilar un barco... ◯

15. El equipaje de Lisa

Anota el nombre de los objetos
que Luisa lleva para sus vacaciones.

Sonidos del español

16. La "ll" y la "y"

a. Escucha las palabras y repite. ▶ 40

> playa   folleto   yo   llegada   hay   calle   mayo   ella   rayas   millones   soy   Sevilla

b. Completa la regla:

> **MI GRAMÁTICA:**
>
> La _____ y la _____ delante de vocal normalmente se pronun-
> cian igual. La _____ al final de palabra se pronuncia como *i*.

c. Escucha cómo pronuncia un argentino estas mismas palabras. ▶ 41

Mis avances en la lengua

Tu repertorio es cada vez más amplio. ¿Qué has aprendido en esta unidad? ¡Anótalo!

Sé...

- Hablar de intenciones y planes.
  _Voy a viajar a París_____.
- Hablar del tiempo.
  _¿Qué tiempo_____? Hace mucho_____.
- Proponer algo.
  _¿Y si vamos a_____?_
  Aceptar una propuesta: _Vale,_____.
  Rechazar una propuesta: _Lo siento, es que_____.
- Quedar con alguien.
  _¿Cómo quedamos?_____
- Expresar una necesidad.
  _Tengo que trabajar_____.
- Organizar una excursión.
  _Queríamos pasar el fin de semana_____.

Mi carpeta de textos

Observa con atención el contenido de la maleta
de Amina. ¿A dónde crees que va a viajar?
¿Cuánto tiempo? ¿Qué planes tiene?
¿Qué se lleva? Describe el viaje de Amina
en un texto breve.

Test

Elige la opción correcta.

1. Mañana podemos _____ una excursión cerca de la ciudad.
   a. ir
   b. tener
   c. hacer

2. ¿Por qué no paseamos _____ la playa?
   a. a
   b. por
   c. de

3. El sábado, yo _____ a ir a un concierto.
   a. vas
   b. voy
   c. va

4. Hoy_____ mucho frío.
   a. es
   b. hay
   c. hace

5. En otoño_____ mucha niebla.
   a. está
   b. hay
   c. hace

6. No vamos a la playa porque _____ nublado.
   a. hay
   b. está
   c. es

7. ● ¿A qué hora _____?
   ▲ ¿Qué tal a las siete y media?
   a. nos quedamos
   b. quedamos
   c. quedar

8. Oye, ¿te _____ pasear un rato por la playa?
   a. encanta
   b. gusta
   c. apetece

9. Lo siento, no puedo, _____ tengo que estudiar.
   a. es de
   b. es que
   c. que es

10. Hoy no quiere salir, _____ en casa.
    a. se queda
    b. queda
    c. le queda

11. Para decir OK, en España se dice "_____".
    a. bien
    b. oye
    c. vale

12. Yo no _____ a tu hermana.
    a. conoce
    b. conozco
    c. conoces

13. ¿Cuánto _____ en llegar a Valencia?
    a. se tarda
    b. tiempo es
    c. hace

14. ● ¿De dónde _____ el autobús a Toledo?
    ▲ De la estación Sur.
    a. va
    b. sale
    c. lleva

15. Tengo el cepillo de dientes en _____.
    a. el paraguas
    b. la pasta de dientes
    c. el neceser

16. Cuando hace mucho sol llevo_____ para protegerme.
    a. unas botas
    b. una gorra
    c. una mochila

17. La exposición no me ha gustado _____.
    a. horrible
    b. nada
    c. horrorosa

18. ¡Ha _____ un día muy bonito! Gracias por invitarme.
    a. estado
    b. tenido
    c. sido

19. Hoy ha _____ demasiado frío.
    a. habido
    b. hecho
    c. estado

20. ¡El domingo vamos a visitar el Museo Dalí! ¡Qué _____!
    a. bien
    b. oye
    c. perfecto

INTERCAMBIO DE CASA

1. Para describir casas

Distribuye las siguientes palabras en las casas que correspondan.

120 m²   bien comunicado   luminoso   en las afueras   en el centro
ventanas a la calle   grande   tranquilo   dos dormitorios   una terraza
ruidoso   situado en una zona verde   a 5 km de   ascensor   exterior

TENER

SER

ESTAR

2. El piso nuevo de Alma y Beto

a. Mira el plano de la casa y escribe en él el nombre de las habitaciones.

1. Cocina americana
2. Dormitorio grande
3. Dormitorio pequeño
4. Baño
5. Salón-comedor
6. Entrada

b. Alma y Beto le enseñan el plano a su amiga Amelia. ¿Cómo crees que va a reaccionar ella? Escucha y relaciona estos trozos del diálogo con las expresiones correspondientes. Hay una expresión de más. ▶ 42

___ ¡Qué luminoso!   ___ ¡Qué terraza tan grande tiene!   _1_ ¡Qué grande es!
___ ¡Qué baño tan moderno! ___ ¡Qué vistas tan bonitas!   ___ ¡Qué céntrico!

c. Escucha ahora el diálogo completo y comprueba si tus suposiciones son acertadas. ▶ 43

3. ¿Y los muebles?

Alma y Beto amueblan su nuevo piso. Escucha el diálogo y anota en las habitaciones del plano del ejercicio **2a** las letras de los objetos que se mencionan. ▶ 44

A   B   C   D    E    F

4. ¿Dónde está(n)...?

a. Busca en el dibujo las cosas que están abajo. Escribe más frases como en el ejemplo.

la ventana – (la cama):
La ventana está detrás de la cama.

los libros – (la estantería):
_____

la alfombra – (la cama):
_____

la silla – (el escritorio):
_____

el gato – (la cama y la estantería):
_____

las flores – (el escritorio):
_____

b. Añade los siguientes objetos en el dibujo.

1. Las gafas están al lado de las flores.
2. La lámpara está a la izquierda de la estantería.
3. El periódico está encima de la silla.

5. Necesitamos una lámpara

Alma y Beto quieren comprar una de estas tres lámparas, pero no se deciden porque la información está desordenada. Ayúdalos completando estas fichas de cada lámpara. Utiliza para ello las indicaciones que aparecen abajo.

	A	B	C

Modelo: _____ Modelo: _____ Modelo: _____
Tamaño: _____ Tamaño: _____ Tamaño: *40 cm*
Color: _____ Color: _____ Color: _____
Precio: _____ Precio: _____ Precio: _____

La Tritón es la más grande.
La Ágatha es tan grande como la Cénit.
La blanca es la más barata.
La Cénit es menos cara que la Ágatha.
La Ágatha es igual de cara que la negra.
La gris es la más moderna.

Modelo Ágatha   blanca   75 €   27 cm
gris   27 cm   19 €   Modelo Cénit
negra   40 cm   Modelo Tritón   75 €

6. ¿Piso o casa?

Lee los anuncios de internet y completa las frases con las expresiones correspondientes.

CASA EN JAÉN ★ + ✉

Esta casa te va a fascinar. Es grande y muy luminosa. Está en una zona verde. Hay autobuses cada 30 minutos al centro de la ciudad. Tiene 150 m², tres dormitorios, dos baños y cocina americana. Tiene un pequeño jardín y es muy tranquila. Piscina comunitaria.

PISO EN SALAMANCA ★ + ✉

Ideal para estudiantes. Piso en el centro de la ciudad, en una zona con restaurantes, bares, discotecas, y cerca de la universidad. Está muy bien comunicado. Es interior, tiene dos dormitorios y dos baños. Es muy tranquilo. Tiene 80 m², una pequeña terraza y ascensor.

1. El piso en Salamanca es _____ grande _____ la casa en Jaén.
2. La casa es _____ luminosa _____ el piso de Salamanca.
3. El piso es _____ tranquilo _____ la casa.
4. La casa es _____ céntrica _____ el piso.
5. El piso es _____ pequeño _____ la casa.
6. Para una familia, la casa es _____ el piso.

| mejor que |
| menos ... que |
| más ... que |
| tan ... como |

7. Vale la pena comparar

Compara, como en el ejemplo.

1. **caro** | sofá (+) / sillón — *El sofá es más caro que el sillón.*
2. **barata** | silla (+) / mesa
3. **grande** | piso (+) / estudio
4. **pequeño** | jardín (–) / terraza
5. **luminoso** | dormitorio (=) / salón
6. **moderna** | lámpara verde (–) / lámpara amarilla
7. **tranquilo** | estudio (+) / piso
8. **céntrico** | chalé (-) / apartamento

8. ¿Tú o usted?

¿A qué persona se refiere cada frase? Marca *tú* o *usted*.

	tú	usted
1. Cruzas la calle Miraflores y sigues todo recto.	○	○
2. Perdone, ¿la calle Velázquez está por aquí?	○	○
3. Perdón, ¿sabe dónde está la calle Alcalá?	○	○
4. Tomas la primera calle a la derecha y...	○	○
5. Perdona, ¿para ir a la plaza de España?	○	○
6. Mire, sigue por esta calle unos 50 metros y gira a la derecha.	○	○
7. Tienes que cruzar esta calle y tomar la primera a la izquierda.	○	○
8. Mira, giras a la derecha y después cruzas la calle.	○	○
9. Siga todo recto.	○	○
10. Oye, ¿dónde hay un supermercado por aquí?	○	○

9. San Miguel de Allende

a. Elisa y Tom son turistas en San Miguel de Allende, en México. Están en la plaza Jardín Allende (1). Ayúdalos a encontrar los lugares que quieren visitar completando las instrucciones con las formas correspondientes de los verbos *cruzar, girar, seguir* o *tomar*.

> **SUGERENCIA:**
> Antes de completar las frases intenta describir tú el recorrido.

1. *Elisa y Tom quieren visitar el centro cultural Ignacio Ramírez.*
   Primero _cruzan_ el jardín y _____ la calle Canal a la izquierda. Después _____ a la derecha en la segunda calle y a 100 metros a la izquierda está el centro cultural (4).

2. *Necesitan comprar aspirinas.*
   Tienen que _____ la calle Hidalgo y _____ todo recto hasta la calle Insurgentes. Después tienen que _____ a la derecha. La farmacia (8) está a pocos metros.

3. *Quieren comprar artesanías para llevar de recuerdo a casa.*
   Al otro lado del jardín _____ la calle Principal a la derecha y _____ a la izquierda en la calle Relox. _____ todo recto hasta Insurgentes. Luego _____ a la derecha y luego a la izquierda, en el Callejón de Loreto. A unos 500 metros a mano derecha está la entrada al Mercado de Artesanías (5).

4. *Quieren visitar la casa de Allende.*
   El museo (7) está en la esquina de Umarán y Cuna de Allende, muy cerca del jardín. _____ la calle Umarán y _____ todo recto hasta Cuna de Allende. La entrada está en esa calle.

b. Por la noche, Elisa y Tom quieren ir desde el Mercado de Artesanías hasta el hotel. Como no encuentran el camino, Elisa llama al hotel. La recepcionista le describe el camino. Sigue su descripción con el plano y anota dónde está el hotel. ▶ 45

c. Mira el plano e indica si consideras que las siguientes afirmaciones son verdaderas (v) o falsas (f).

¿Dónde está la parroquia?

	v	f
1. La parroquia está enfrente del jardín.	○	○
2. El Mercado de Artesanías está a la izquierda de la farmacia.	○	○
3. La biblioteca pública está al lado de la farmacia.	○	○
4. El banco está al lado del jardín.	○	○
5. El Museo Allende está en el centro del jardín.	○	○
6. El teatro está enfrente del centro cultural.	○	○

Mis palabras

10. Combinaciones de palabras

Relaciona las palabras de las dos columnas.

1. primera línea	a. comunicado
2. cocina	b. alquilada
3. zona	c. de playa
4. está bien	d. metros cuadrados
5. noventa	e. equipada
6. vivienda	f. verde

11. Palabras desordenadas

Ordena las palabras para construir frases.

1. ¡terraza / bonita / tan / usted / Qué / tiene! _____
2. ¡apartamento / Qué / luminoso / has comprado / tan! _____
3. ¡céntrico / piso / tu / es / Qué! _____
4. ¡increíbles / vistas / tan / Qué / el salón / se ven / desde! _____
5. ¡bien / comunicado / Qué / está / piso / tu! _____
6. ¡tienes / Qué / moderno / tan / baño! _____

12. Contrarios

Escribe los contrarios de las siguientes palabras.

1. feo/a _____
2. caro/a _____
3. pequeño/a _____
4. ruidoso/a _____

5. exterior _____
6. mal comunicado/a _____
7. oscuro/a _____
8. antiguo/a _____

13. ¿Cómo se dice en tu idioma?

Traduce las siguientes palabras a tu lengua.

1. plaza
2. calle
3. avenida
4. cruzar
5. girar
6. seguir
7. parada de autobús
8. todo recto

14. Campos de palabras

Anota palabras de esta unidad (u otras que conozcas) en las categorías que aparecen en el siguiente esquema. Añade otras categorías al azar.

MUEBLES

el armario
_____
_____
_____

ELECTRODOMÉSTICOS
_____
_____
_____

CASAS

TIPOS DE CASAS
_____
_____
_____
_____

OTROS
_____
_____
_____

Sonidos del español

15. La "s" y la "x"

a. Lee en alto las siguientes parejas de palabras poniendo atención a las letras en negrita.

1. de**st**ino – se**xt**o
2. corre**sp**onde – e**xp**osiciones
3. e**st**udio – e**xt**erior

4. e**sp**erar – e**xp**resión
5. e**sc**uchar – e**xc**ursión
6. fie**st**a – te**xt**o

7. c**asa**s – t**axi**sta
8. e**st**antería – e**xt**ranjero

b. Escucha ahora las palabras y comprueba su pronunciación.
¿A qué tienes que prestar atención en estas palabras? ▶ 46

> INFORMACIÓN:
> La **s** en español siempre es sorda.

Mis avances en la lengua

¡Fantástico! ¡Ya has llegado casi a la meta! ¿Necesitas un pequeño impulso antes de las última unidad? Esto es lo que has aprendido en la unidad 11.

Sé...

- Describir mi propia vivienda.
  Mi piso está bien comunicado, _____ .
- Valorar algo.
  ¡Qué grande es! _____ .
- Comparar cosas.
  La silla es más pequeña que _____ .
- Preguntar por un camino y responder.
  Perdone, ¿está por aquí _____ ? _____ .

Mi carpeta de textos

Estás pasando las vacaciones en San Miguel de Allende y quieres quedar por la noche con amigos para ir juntos al teatro. Tus amigos están en el mercado. Escribe un correo electrónico haciéndoles tu propuesta y descríbeles el camino desde el Mercado de Artesanías hasta el teatro Ángela Peralta. No te olvides de utilizar las expresiones, *primero, después, luego...*

● ● ●

¿Quedamos esta noche...?

Hola, amigos: _____

_____

_____

_____

_____

_____

Test

Elige la opción correcta.

1. Mi casa está _____ izquierda _____ su casa.
 a. al / a
 b. a la / de
 c. a la / de la

2. El piso está situado _____ primera línea ____ playa.
 a. en / la
 b. de / la
 c. en / de la

3. Vivimos _____ 6 km de la ciudad.
 a. en
 b. a
 c. de

4. _____ balcón hay unas vistas increíbles.
 a. Desde
 b. Desde al
 c. Desde el

5. Mi piso es _____, tiene las ventanas a la calle.
 a. interior
 b. exterior
 c. comunicado

6. En _____ lavo la ropa.
 a. la lavadora
 b. el lavavajillas
 c. la nevera

7. La alfombra está _____ de la cama.
 a. el centro
 b. entre
 c. debajo

8. Vivo en el _____ piso.
 a. primero
 b. primer
 c. tercero

9. La casa está _____ afueras_____ la ciudad.
 a. al / en
 b. a / de
 c. a las / de

10. Mi chalé es _____ pequeño de todos.
 a. la más
 b. más
 c. el más

11. Mi piso es _____ grande _____ el piso de Juan.
 a. tan / que
 b. más / que
 c. más / como

12. Cuando llegas a la calle, _____ todo recto.
 a. giras
 b. sigues
 c. cruzas

13. ¿Qué hago? ¿_____ por esta calle?
 a. Sigue
 b. Sigo
 c. Siguen

14. _____, ¿sabe dónde está la biblioteca?
 a. Perdone
 b. Oye
 c. Perdona

15. Hago los deberes en _____.
 a. la lámpara
 b. la estantería
 c. el escritorio

16. Perdón, ¿_____ ir al Museo Picasso?
 a. por
 b. para
 c. dónde

17. ¿La calle Aragón está _____aquí cerca?
 a. por
 b. de
 c. para

18. ¡Qué piso _____!
 a. grande
 b. es grande
 c. tan grande

19. _____, cruzas la calle y después giras a la derecha.
 a. Mire
 b. Mira
 c. Miras

20. Perdón, ¿_____ por aquí la plaza Santa Ana?
 a. sabe
 b. hay
 c. está

ESTA ES MI VIDA

1. En pasado

Completa la tabla con los verbos en indefinido.

Verbos regulares	yo	tú	él/ella/ usted	nosotros/ -as	vosotros/ -as	ellos/ellas/ ustedes
trabajar en Estados Unidos el año pasado	____	____	trabajó	____	____	____
conocer a mi novio a los 21 años	____	____	____	____	____	conocieron
vivir en Francia de 2010 a 2015	viví	____	____	____	____	____

Verbos irregulares	yo	tú	él/ella/ usted	nosotros/ -as	vosotros/ -as	ellos/ellas/ ustedes
ser un arquitecto muy famoso	____	____	fue	____	____	____
ir a México en 2010	____	fuiste	____	____	____	____
tener un hijo en 1996	____	____	____	____	tuvisteis	____

> **ESTRATEGIA:**
> Cuando se aprende un nuevo tiempo verbal, es importante aprenderlo con ejemplos de los marcos temporales en los que se utiliza. Así resulta más fácil memorizar su uso.

2. ¿Somos iguales?

a. Las terminaciones de estos verbos se han perdido. Relaciona cada recuadro con el verbo al que corresponde (según su terminación).

- ◯ pint-AR
- ◯ nac-ER
- ◯ sal-IR

A -ieron -í -iste -imos -ió -isteis

B -aste -amos -ó -asteis -é -aron

C -iste -ió -isteis -imos -í -ieron

b. ¿Qué verbos tienen en indefinido las mismas terminaciones? Marca con una cruz.

Los verbos terminados en -AR y en -ER tienen en indefinido las mismas terminaciones. ◯

Los verbos terminados en -ER y en -IR tienen en indefinido las mismas terminaciones. ◯

3. Recuerdos de familia

Lucía le cuenta a su hija Jimena cosas de su vida. Escucha y marca qué afirmaciones son verdaderas (v) y cuáles no lo son (f). ▶ 47

	v	f
1. Vivió en Francia a los 15 años por el trabajo de su madre.	○	○
2. Volvió a España para vivir con su abuela enferma.	○	○
3. Salió por primera vez con un chico después del bachillerato.	○	○
4. En 1985 viajó por toda Europa con sus padres.	○	○
5. Estudió diseño de moda en Lisboa.	○	○
6. Conoció a Manuel, el padre de Jimena, en Lisboa en 1989.	○	○
7. Se casaron un año después.	○	○
8. Tuvieron a Diego, el hermano de Jimena, en 1992.	○	○

4. ¿Presente o indefinido?

Lee las frases y anota los complementos de tiempo en la tabla. Decide después si se trata de un acontecimiento que sucede en el presente (P) o que sucedió en el pasado (I).

¿Cuándo?	P/I
en 2014	I

1. Nos cambiamos de casa en 2014.
2. Estudiamos juntas todos los miércoles.
3. Mi mujer y yo pintamos la casa cada año.
4. Mis amigas y yo organizamos una fiesta ayer.
5. ¡En la última fiesta bailamos toda la noche! ¡Qué divertido!
6. El año pasado viajamos a México.
7. Marta y yo cantamos los martes en el coro.

5. ¡Qué vida!

a. Amelia Garayoa es la heroína de la novela histórica *Dime quién soy,* de Julia Navarro. Escribe algunas de sus experiencias en indefinido. Hazlo en primera persona, como si fueras Amelia Garayoa.

1. nacer en Madrid a principios del siglo XX
    → _Nací en Madrid a principios del siglo XX._
2. casarse con Santiago a los 20 años → _____
3. tener un hijo en 1930 → _____
4. abandonar a su marido y a su hijo a los ocho meses → _____
5. viajar con un comunista francés a Argentina → _____
6. ir a Rusia un año después → _____
7. volver a España en 1939, después de la Guerra Civil → _____
   _____
8. ser espía de los ingleses durante la Segunda Guerra Mundial → _____
   _____

b. Escucha a Amelia contar su vida y comprueba tus respuestas. ▶ 48

6. El padre de Frida

¿Qué sabes del padre de Frida? Completa con las formas correctas del indefinido de los verbos que aparecen en el recuadro.

> nacer (x 2)   volver   ser
> tener   cambiar
> salir   llegar   casarse

1. Wilhelm Kahlo _____ en Baden-Baden, Alemania, en 1872.
2. A los 19 años _____ de su país.
3. _____ a Ciudad de México en 1891.
4. _____ su nombre al equivalente español, Guillermo.
5. Unos años después _____ _____ con una mexicana, Matilde Calderón, la madre de Frida.
6. Guillermo y Matilde _____ 4 hijos.
7. Frida _____ la tercera hija y _____ el 6 de julio de 1907.
8. Guillermo no _____ nunca más a Alemania.

7. Cambios y más cambios

Transforma las frases utilizando la persona que se indica. ¡Cuidado con la ortografía!

1. Tú empezaste a tocar el piano a los cinco años, ¿verdad?   → (yo)
2. El mes pasado mi jefa y yo organizamos los cursos para todo el semestre.   → (tú)
3. ¡Ayer empecé a trabajar en el banco!   → (Alberto)
4. Los nietos del famoso escultor buscaron información sobre su abuelo.   → (yo)
5. La semana pasada organicé una fiesta con todos mis amigos.   → (vosotros)
6. Busqué tu número de teléfono, pero no lo encontré.   → (Marta)

8. ¿Con o sin "a"?

Añade la preposición a donde sea necesario.

1. Frida conoció ____ Diego a los 16 años.
2. Frida organizó ____ muchas fiestas en su Casa Azul.
3. Diego pintó ____ acontecimientos históricos en sus murales.
4. Frida pintó ____ su padre y ____ varios amigos en sus cuadros.
5. Diego y Frida conocieron ____ los Estados Unidos en los años 30.
6. El comité organizó ____ las festividades del "mes de Frida".

9. ¿Quién es?

Relaciona los personajes con lo que hicieron.

> a. Yuri Gagarín   b. Alfred Nobel   c. Nelson Mandela   d. Ana Frank
> e. Zaha Hadid   f. Fidel Castro   g. Miguel Ángel   h. Malala Yousafzai

1. Luchó contra el apartheid en Sudáfrica.   ○
2. Fue la primera mujer que ganó el Pritzker, el premio más prestigioso de arquitectura del mundo.   ○
3. Fue el primer ser humano que viajó al espacio.   ○
4. Lideró la revolución cubana.   ○
5. Pintó la Capilla Sixtina en Roma.   ○
6. Inventó la dinamita y creó unos premios muy importantes.   ○
7. Recibió el premio Nobel de la Paz en 2014.   ○
8. Escribió un diario que se publicó en 1947, pocos años después de su muerte.   ○

10. Vamos a una fiesta

Reacciona a las invitaciones con las respuestas que aparecen abajo. Acepta (👍) o rechaza (👎), según se indica. Hay varias soluciones posibles.

> Sí, claro, vamos con mucho gusto.   No, lo siento, no podemos.
> ¿Una fiesta? No puedo. Es que tengo que trabajar.   Pues a ver..., creo que no tenemos nada... Vale.
> Gracias por la invitación, pero no puedo.   Pues sí, claro. ¡Qué bien!

1. Voy a dar una fiesta. ¿Quieres venir? 👍
2. Este fin de semana voy a hacer una fiesta. ¿Por qué no vienes? 👎
3. Voy a dar una fiesta el sábado. ¿Por qué no venís? 👎
4. Quiero hacer una fiesta. ¿Tenéis tiempo? 👍
5. Os quiero invitar a mi cumpleaños. 👍
6. Voy a dar una fiesta por mi cumpleaños. ¿Quieres venir? 👎

11. ¿Saber o poder?

Completa con la forma verbal correspondiente de los verbos *saber* o *poder*.

1. Laura _____ hablar chino, pero no _____ guiar al grupo de turistas chinos. Es que está de vacaciones.
2. ¡Qué problema! La cantante de ópera no _____ cantar el sábado en el estreno porque está enferma.
3. ● Clara, tú has hecho varios cursos de tango, ¿no?
   ▲ Sí, _____ bailar tango, pero no lo bailo muy bien.
4. Las chicas _____ cocinar, pero no _____ cocinar todos los días. No tienen tiempo.
5. ● Carlos, ¿_____ jugar al tenis? Este fin de semana hace buen tiempo y voy al club. ¿Quieres venir?
   ▲ ¡Sí! Me gustaría, pero no _____. Tengo otra cita.
6. _____ tocar el piano porque voy a clases desde los 10 años.
7. Mañana _____ cocinar nosotros si tú no tienes tiempo.
8. No _____ dibujar, por eso voy a matricularme a un curso de dibujo.

12. Talentos. ¿Qué saben hacer?

a. ¿Qué dos valoraciones faltan aquí? Completa la serie y construye frases como en el ejemplo.

muy mal			regular	bastante bien	

1. jugar al tenis → *Mi esposo juega bastante bien al tenis.* _____
2. hablar inglés → _____
3. pintar con acuarela → _____
4. tocar un instrumento musical → _____

b. ¡Ahora te toca a ti! Escribe más frases en las que enumeres y valores tus capacidades.

Yo juego al tenis muy mal y...

Mis palabras

13. Sustantivos y verbos

Escribe el verbo que corresponde a los siguientes sustantivos.

1. nacimiento: _____
2. boda: _____
3. divorcio: _____
4. reunión: _____

5. viaje: _____
6. trabajo: _____
7. jubilación: _____
8. invitación: _____

9. llegada: _____
10. salida: _____
11. reunión: _____
12. diversión: _____

14. *Ser o ir*

Señala si se trata del verbo *ser* o del verbo *ir*.

	ser	ir
1. Fue profesor de Matemáticas en un instituto.	○	○
2. La fiesta fue el 5 de febrero.	○	○
3. Fueron a Colombia de vacaciones.	○	○
4. El concierto fue horroroso. No me gustó nada.	○	○
5. Fuimos en coche a Toledo.	○	○
6. ¿Vosotros, cuándo fuisteis de vacaciones?	○	○
7. La relación entre Alberto y Nadia no fue nunca fácil.	○	○
8. La Residencia de Estudiantes de Madrid fue un centro intelectual y artístico en los años 20.	○	○

15. Expresiones

Lee de nuevo el texto de la página 107 del libro y traduce las siguientes expresiones a tu idioma.

1. hacer una fiesta _____
2. un par de amigos _____
3. no puede faltar la comida _____
4. relleno/a de frutas _____

5. romper algo _____
6. tener los ojos tapados _____
7. encargarse de algo _____
8. pasarla padre _____

16. Crucigrama de la vida

Rellena el crucigrama con las instrucciones y completa las frases.

1. *Sustantivo:* Celebración en la que dos personas unen sus vidas oficialmente.
2. *Verbo reflexivo en infinitivo:* No trabajar por tener más de 65 años.
3. *Verbo en indefinido (estudiar, él):* Luis _____ arquitectura en Lima.
4. *Infinitivo* de "yo conozco".
5. *Verbo reflexivo en infinitivo:* Disolver un matrimonio.
6. *Verbo reflexivo en infinitivo:* Unir su vida a la de otra persona ante la ley o ante Dios.
7. *Verbo en infinitivo:* Llegar un bebé al mundo.
8. *Verbo en indefinido (vivir, ellos):* _____ en Madrid de 1976 a 1990.
9. *Verbo en indefinido (trabajar, vosotros):* _____ en Chile, ¿verdad?
10. *Verbo en indefinido (empezar, yo):* _____ a trabajar en 1998.

Sonidos del español

17. ¿Cómo se pronuncia "ie"? ¿Y "eu"?

a. Lee despacio y en voz alta primero las palabras con *ie*, y luego las palabras con *ue*.

quieren	izquierda	movimiento
establecimientos	tiene	
viviendas	miembro	Viena

Europa	neurólogo	Ceuta
	pseudónimo	Eugenia
reunión	neutral	neumático

> **INFORMACIÓN:**
> En español no se modifica la pronunciación de las vocales, independientemente de si van acompañadas de otras vocales o de consonantes.

b. Escucha ahora las palabras y comprueba la pronunciación. ▶ 49

Mis avances en la lengua

¡Ha merecido la pena el esfuerzo! ¡Has llegado a la meta y has terminado el nivel A1!

Sé...

- Describir una biografía.
  Nací en Hamburgo en
- Informar sobre algo del pasado.
  Empecé a trabajar
- Invitar a alguien a una fiesta.
  ¿Por qué no vienes...?
- Describir capacidades y valorarlas.
  Sé hablar inglés muy bien.

Mi carpeta de textos

¡Te felicitamos de corazón! Recuerda el curso que has hecho y toma notas sobre todo lo que has aprendido con este libro. Escribe después con esas notas un texto.

¿Quieres continuar? ¡Entonces nos volvemos a ver en el nivel A2!

Test

Elige la opción correcta.

1. Nació _____ México _____ 1907.
   a. en / a
   b. a / en
   c. en / en

2. Yo conocí _____ en 2012.
   a. con Daniel
   b. a Daniel
   c. Daniel

3. Mi madre terminó la carrera de Periodismo _____ 23 años.
   a. a los
   b. en los
   c. a

4. Se casó en marzo y se divorció tres meses _____.
   a. tarde
   b. más tarde
   c. más tardes

5. Picasso _____ un pintor muy productivo.
   a. estuvo
   b. fue
   c. tuvo

6. _____ a Guatemala el año pasado.
   a. Estuve
   b. Nací
   c. Fui

7. Empecé _____ en agosto.
   a. a trabajar
   b. en trabajar
   c. trabajar

8. El año pasado _____ trabajo. Ahora soy cocinera.
   a. cambié en
   b. cambié
   c. cambié de

9. Amelia se casó _____ en abril del año pasado.
   a. a Luciano
   b. con Luciano
   c. Luciano

10. Mañana es mi cumpleaños y te quiero invitar _____ mi fiesta.
    a. en
    b. de
    c. a

11. ¿Viviste un año _____ Nueva York? ¡Qué suerte!
    a. a
    b. en
    c. al

12. En una fiesta mexicana no pueden _____ la comida, la música y la decoración.
    a. faltar
    b. estar
    c. ser

13. Para la fiesta yo preparo la comida y tú _____ de la música.
    a. tocas
    b. te encargas
    c. pones

14. Nos vamos al cine, ¿ _____ vienes?
    a. por qué
    b. por qué no
    c. porque

15. No puedo ir a la fiesta. Es _____ tengo que estudiar.
    a. por
    b. que
    c. pues

16. Gracias _____ la invitación.
    a. por
    b. para
    c. a

17. _____, no puedo ir a la excursión.
    a. Siento
    b. Siento lo
    c. Lo siento

18. Mi padre _____ muy bien.
    a. juega ajedrez
    b. juega al ajedrez
    c. juega de ajedrez

19. No cocino muy bien, pero sé hacer _____, porque viví en México. ¡Son mi especialidad!
    a. quesadillas
    b. piñatas
    c. regalos

20. En México, cuando se divierten, dicen que _____ bien.
    a. la hacen
    b. la pasan
    c. la tienen

TRANSCRIPCIONES

UNIDAD 1
HOLA, ¿QUÉ TAL?

4 ▶ 1

¡Felicidades a los ganadores de la Lotería! El número ganador es: 1 – 5 – 9 – 7 – 3

5a ▶ 2

con**c**ierto, gua**c**amole, **j**amón, **z**umo, **c**ócteles, cho**co**late, **g**uitarra, tan**g**o, **g**ente, **c**ultura.

9 ▶ 3

1. Ce – a con acento – de – i – ceta
2. Ce – a – erre – te – a – ge – e – ene – a
3. Jota – e – erre – e – ceta
4. Ge – u – a – de – a – ele – a – jota – a – erre – a
5. E – equis – te – erre – e – eme – a – de – u – erre – a

10b ▶ 4

● Hola, buenos días. Soy Juan Pablo Zamora. Y usted, ¿cómo se llama?
▲ Buenos días. Yo soy Marisa Sandoval.
● Mucho gusto. ¿Es usted de Buenos Aires?
▲ No, soy de Mendoza. ¿Y de dónde es usted?
● Soy de Lima.
▲ ¡Qué interesante! Yo visito Lima pronto.
● ¡Qué bien! Mire, mi teléfono es el 511 478 2916. Marisa, ¿y cuál es su número de teléfono?
▲ Es el (261) 257 4693. Y mi dirección de correo electrónico es chiquis@red1.com.
● ¡Estupendo! Gracias.

16a ▶ 5

parejas, mundo, español, enlace, número, plural, saludos, mujer, teléfono, música, imagen, singular, importante, electrónico.

UNIDAD 2
EL ESPAÑOL Y YO

5a ▶ 6

● Mira, esta es la página de internet de la que hablamos. Habla de aficiones y de las experiencias de la gente.
▲ ¡Uf! Son muchísimas aficiones distintas: cantar, cocinar, practicar deportes, tomar fotografías, viajar...
● ¿Y qué aficiones tienes tú? ¿Tú cocinas?
▲ En realidad, yo solo viajo, mi única afición es viajar.
● Bueno, creo que todos viajamos, pero ¿tienes más aficiones?
▲ ¡Claro! Practico deportes. En mi familia todos practicamos deportes.
● Bueno, tienes aficiones interesantes, ¿no?

6 ▶ 7

● ¡Hey todos! ¿Me escuchan, por favor? Este es Alexis, es un amigo de Claudia y es de Grecia.
▲ ¡Hola! ¡Bienvenido! ¿Qué tal, Alexis?
■ Hola...
◆ ¡Un griego! ¡Qué interesante!
● Marta..., pero Alexis habla solo un poco de español.
◆ ¡Hola, Alexis! Yo me llamo Marta y hablo inglés y un poco de italiano. ¿Qué idiomas hablas tú?
● Bueno, Alexis habla solo un poco de español, pero claro, habla también inglés, alemán... y griego, por supuesto.
◆ Entonces, seguro que hablar no es un problema. ¡Que siga la fiesta! Alexis, ¿un poco de vino?

15a ▶ 8

bolígrafo, tomar , jamón, libro, hoja, folclórico, apartamento, típico, holandés, fácil, móvil, nacionalidad, América, artístico, borrador.

UNIDAD 3
TRABAJO AQUÍ

8b ▶ 9

1. ¡Hola! ¿Cómo estás?
2. Señor García, este es el señor Pacheco.
3. Buenas tardes, ¿cómo está usted?
4. Buenas tardes. Soy el señor Corona.

9a ▶ 10

1.
● Señor Flores, esta es la nueva secretaria, la señora Jiménez.
▲ Encantado, señora Jiménez.
● Encantada.

2.
● Mira, Gabriela. Estos son Fernando y Roberto. Estudiamos juntos en la universidad.
▲ Hola, ¿cómo estáis?
● Hola, Gabriela. Bien, bien, gracias.
▲ ¡Hola! Bien, ¿y tú?

3.
● Elena, mira, este es mi amigo Sergio.
▲ Hola, Sergio. Mucho gusto.

14a ▶ 11

inglés, diálogo, imaginario, guitarra, jamón, alguien, gente, trabajo, grupo, Argentina, gambas, pareja.

▲ ¿Dónde estás?

● Ya estoy cerca de la farmacia.

▲ Bueno, yo te espero aquí, delante de la estación.

● ¿Estás delante de la estación?

▲ Sí, claro.

● Pero el punto de encuentro es detrás de la plaza.

▲ ¿Detrás de la plaza? No, seguro que no.

● Mira, yo estoy ahora muy lejos. ¿Nos vemos mejor al lado de la iglesia?

▲ ¡Ay, Paulina, siempre igual! De acuerdo. Te espero al lado de la iglesia.

● Gracias, eres un amor.

5a ▶ 22

● Hola, Cecilia. ¡Qué gusto verte! Me alegra que pases unos días en San Fernando.

▲ Hola, Óscar. Muchas gracias por enseñarme tu pueblo. Dime, ¿qué cosas podemos hacer en San Fernando?

● Pues, primero podemos ir a la Plaza de la Amistad. Allí podemos admirar arte popular. Los artistas trabajan en la plaza y se puede comprar artesanía como recuerdo para llevar a casa.

▲ ¡Muy bien! Ya sabes que en casa todos esperan recuerdos cuando regreso.

● Sí, es verdad... Después podemos ir al río. Hay un parque al lado del río con muchos lugares donde se pueden comer platos típicos de la región. Y si tenemos suerte, ¡podemos escuchar música en vivo!

▲ ¡Qué lindo! Y luego, ¿qué hacemos?

● Bueno, luego podemos visitar el centro histórico. Hay museos y plazas antiguas muy interesantes.

▲ ¡Perfecto! Me interesa mucho la historia.

● Por la noche podemos cenar en casa de mis padres. Mi madre quiere cocinar algo especial para ti.

▲ ¡Qué amable!

● Y al final podemos tomar unas copas en un bar cerca de casa. Algunos amigos van a estar allá. ¿Te parece bien?

▲ ¡Me parece genial!

8b ▶ 23

● Hola, buenos días. ¿Nos puede ayudar?

▲ Claro ¿Qué puedo hacer por vosotros?

● ¿Que podemos hacer en Madrid en un día?

▲ !Uf! Bueno, podéis visitar el Palacio Real, la catedral de la Almudena...

◆ Yo quiero ver el Palacio Real.

● Pero yo prefiero ver la catedral.

▲ Bueno, entonces, primero veis la catedral, que es muy bonita. Los turistas pueden subir a la terraza...

◆ Sí, y luego vemos el Palacio Real. ¿Y para ir de compras...?

● ¡Ay no! ¡Ay no! ¡Compras otra vez!

▲ Madrid es famoso por sus tiendas. Muchas personas van de compras a las calles alrededor de la Gran Vía, la Puerta del Sol, la Plaza Mayor... Es la zona del centro.

● Perdone, ¿y a dónde va la gente a tomar tapas en Madrid?

▲ También a la zona del centro.

● Entonces tú vas de compras y yo voy a tomar tapas.

15a ▶ 24

cumpleaños, pena, mañana, champaña, tono, compañero, araña, una, cuna, cuñado, champiñón, sueño, señora, montaña.

UNIDAD 7
MI DÍA A DÍA

5b ▶ 25

1.

● Oye Clara, ¿qué hora es?

▲ Ay, Juan, ¿no tienes reloj?

● No, no tengo. Dime, por favor, ¿qué hora es?

▲ Pues son las nueve y cuarto.

● ¡Dios mío, es tardísimo!

2.

● Daniela siempre es puntual.

▲ Pues no, no siempre. Mira la hora que es y no está aquí.

● Bueno, pero son las cinco menos cinco. Seguro que ya llega.

3.

● ¿A qué hora sales de trabajar, Enrique?

▲ Uf, salgo a eso de las seis y media.

● ¡Ah! Entonces puedes ir al cine conmigo, ¿no? A la última función.

▲ Mmm. Bueno..., pues sí.

4.

● Disculpe, ¿a qué hora sale el autobús para Madrid?

▲ A las tres menos veinticinco.

● ¡Muchas gracias!

▲ De nada.

9 ▶ 26

● Disculpe... ¿Tiene unos minutos para una encuesta? Es una encuesta del Departamento de Estadísticas sobre el tiempo libre.

▲ Bueno..., no tengo mucho tiempo libre.

● Sí, entiendo. Es un problema de muchas personas actualmente. Pero..., dígame, ¿qué hace cuando tiene un poco de tiempo libre?

▲ Mire, durante la semana, estoy todo el día en el trabajo. Por la noche, escribo correos electrónicos a mis amigos, leo un libro o veo la televisión. A veces voy al cine.

● ¿No hace deporte durante la semana?

▲ Sí, claro. Me gusta correr antes del trabajo, temprano por la mañana.

● Vale, muy bien... ¿Y el fin de semana?

▲ Bueno, durante el fin de semana hago senderismo o juego al tenis... A veces vamos a pasear. Pero, eso sí, por las noches salgo siempre con amigos.

● ¿Siempre?

▲ Así es. Siempre.

● Muchas gracias por su colaboración.

▲ De nada.

10b ▶ 27–29

1. Beto: Mi día es medio loco. Me levanto tarde porque empiezo a trabajar por la tarde, a las cuatro. A menudo almuerzo en un restaurante antes del trabajo. Vuelvo a casa muy tarde, entre las once y media y las doce y cuarto, a medianoche.

2. Licha: Para mí, el día ideal empieza cuando desayuno tranquilamente. Después hago las cosas de la casa y voy a comprar. Por la noche, cocino para la cena mientras veo las noticias en la televisión. Casi siempre me acuesto tarde.

3. Caro y Nina: Nuestro día es muy aburrido. Pasamos el día en el colegio y por la tarde tocamos el piano. Tenemos clase con un profesor de música privado. Nos acostamos antes de las nueve porque tenemos que ir al colegio temprano todos los días. ¿Verdad que es aburrido?

16 ▶ 30

1. Nunca salgo los domingos.
2. ¿En el triatlón, los atletas corren y nadan?
3. Su madre toca el piano.
4. ¿Los viernes juegan al tenis en el club?
5. ¿No te gusta ir de compras?
6. Desayunamos antes de salir de casa.
7. Inés y Ana hacen yoga.
8. ¿El jefe almuerza en un restaurante japonés?
9. A Clara le gusta el fútbol.
10. ¿Vais al cine este fin de semana?

UNIDAD 8
DE VACACIONES

3a ▶ 31

1. Susana: A mí me gusta viajar a sitios nuevos. Me gusta hablar con las personas, me interesa mucho conocer sus costumbres.

2. Rafael: Viajo generalmente a países con montañas y ríos. Me encanta la acción: me gusta escalar y practicar *rafting*.

3. Eduardo: A mí me interesa conocer la naturaleza y hacer senderismo por cuenta propia. No me gusta viajar en grupos. Prefiero caminar a mi propio ritmo.

4. Manuela: A mí me interesa la cultura en general. Me gusta visitar exposiciones y ver iglesias antiguas. En las grandes ciudades hay mucho que ver.

5a ▶ 32

● ¡Estoy feliz con la idea de ir a Málaga!

▲ Sí, qué emoción. ¿Buscamos de una vez un hotel para alojarnos? ¿Quieres?

● Vale, buena idea. A ver... Me han recomendado uno... Mira, este es... Está en la playa, tiene piscina y aire acondicionado.

▲ Bueno, no está mal, pero yo sé de un hotel en el centro de Málaga... A ver..., aquí está. Tiene restaurante y alquiler de bicicletas. ¡Podemos visitar el centro de Málaga en bici!

● Mmm... No tiene aparcamiento.

▲ Pero tiene internet gratis y desayuno incluido.

● Los dos tienen internet y desayuno incluido. Pero este tiene, además, un *spa*... ¡Imagínate!

▲ No sé... A mí me gusta estar en el centro. Podemos salir por la noche y volver fácilmente al hotel.

● Está bien, Marisa. Tú ganas. Si prefieres estar en el centro... Yo puedo ir a la playa en bus.

6a ▶ 33

● Hotel Madrid Recuerdo, buenos días.

▲ Hola, buenos días. Quería reservar una habitación en su página web, pero hay algún problema y no puedo hacerlo.

● Sí, lo siento mucho. Efectivamente hoy nuestra página web no funciona bien. Pero puede reservar por teléfono, no hay problema. ¿Para cuándo quiere la habitación?

▲ Para la primera semana de abril.

● Muy bien... ¿Qué tipo de habitación quiere?

▲ Somos tres adultos. Una habitación doble y una individual, por favor..., con desayuno.

● Ahá... Mmm..., sí, tenemos habitaciones libres para esa fecha.

▲ ¡Estupendo! ¿Y cuánto cuesta?

● La habitación doble cuesta 120 € por noche con desayuno, la individual, 85 €. Y con media pensión cuesta 15 € más por persona.

▲ No, muchas gracias. Solo queremos con desayuno. Pero se puede cenar a la carta en el hotel, ¿verdad?

● Por supuesto.

▲ Otra pregunta. ¿Se puede alquilar bicicletas?

● Así es. Se puede alquilar bicicletas directamente en la recepción.

▲ ¿Y aceptan tarjetas de crédito para pagar el alquiler?

● Claro, por supuesto.

TRANSCRIPCIONES

▲ Perfecto... ¡Ah! Una pregunta importante. ¿Se admiten animales?

● Lo siento mucho. No se admiten animales.

▲ ¡Oh, qué pena! Bueno... Pero..., de todos modos queremos las habitaciones, por favor.

● Muy bien... Entonces tenemos una habitación doble y una individual, ambas con desayuno, del 2 al 9 de abril. ¿Me dice su nombre, por favor?

▲ Sí, claro. Mi nombre es Raúl...

16b ▶ 34

1. gente; 2. mejor; 3. tarjeta; 4. agencia; 5. paisajes; 6. región; 7. ecológico; 8. viajar; 9. vegetariano.

UNIDAD 9
COMPRAR Y COMER EN ALICANTE

5 ▶ 35

a. mil treinta y seis; b. doscientos cuarenta; c. dos mil ochocientos setenta y ocho; d. cincuenta y cinco; e. trescientos setenta y ocho mil novecientos.

7 ▶ 36

● Buenos días. ¿Te puedo ayudar en algo?

▲ Hola. Bueno..., sí..., por favor. Necesito ropa para ir a una fiesta.

● Muy bien. ¿Quieres algo elegante, juvenil o prefieres algo más clásico?

▲ Algo elegante, pero no clásico. Tengo 22 años y no me quiero ver mayor.

● Entiendo. No te preocupes. Aquí tenemos de todo. A ver... ¿Te gusta esta falda azul?

▲ Me gusta más esa, la negra.

● Bueno... Entonces la combinamos... Mmm, quizá con esta blusa amarilla.

▲ Mmm..., no sé..., me gusta más ese jersey.

● ¿Este?

▲ Sí, sí. Ese, el naranja.

● Muy bien. ¿Qué talla tienes?

▲ La 38.

● Aquí está todo. ¿Quieres ver zapatos también?

▲ No, muchas gracias. Tengo estos zapatos.

● ¿Esos? No son adecuados para una fiesta.

▲ ¿Usted cree?

18a ▶ 37

1. bolsos, 2. vinos, 3. blanco, 4. verde, 5. corbata, 6. vaquero, 7. blusas, 8. vestido, 9. bar, 10. vendedor, 11. Bolivia, 12. Bolivia.

UNIDAD 10
¡BUEN FIN DE SEMANA!

5b ▶ 38

Buenas tardes. A continuación les ofrecemos el pronóstico del tiempo para seis capitales del continente sudamericano:

1. La capital de Ecuador espera lluvias y mal tiempo. La temperatura mínima es de 8 grados.

2. En esta ciudad hay tormentas, pero hace calor. Esperamos 30 grados en este día.

3. Si usted está aquí, no olvide el paraguas y el abrigo. ¡Lluvia, con una temperatura mínima de cero grados!

4. En esta bella ciudad también hace frío, pero gracias al sol se esperan hasta catorce grados de temperatura.

5. En el puerto se espera cielo nublado, con una máxima de 13 grados.

6. Y finalmente una buena noticia. Buen tiempo, con temperaturas agradables, con 21 grados de máxima.
¡Muy buenas tardes y hasta mañana!

7b ▶ 39

● Oye, Julia, ¿qué crees? ¿Vamos al cine esta semana? Ya está en el cine la película ganadora del Óscar.

▲ Ay no, María. ¿De verdad? ¡Qué mala suerte! Esta semana no puedo ir al cine. No tengo tiempo.

● ¡Ay, mujer! Si son solamente dos horas, no dos días.

▲ Pues no tengo dos horas libres. Tengo que estudiar para un examen.

● ¿Y si quedamos el miércoles por la noche? No tienes clases...

▲ Lo siento, no puedo tampoco. Es que el miércoles tengo que quedarme en la biblioteca a hacer un trabajo.

● Uf... Entonces..., ¿Por qué no vamos el viernes? Ya termina la semana y tienes tiempo.

▲ Vale. ¿A qué hora quedamos?

16a y c ▶ 40–41

playa, folleto, yo, llegada, hay, calle, mayo, ella, rayas, millones, soy, Sevilla.

UNIDAD 11
INTERCAMBIO DE CASA

2b ▶ 42

1. Mira, Amelia, este es el plano general del nuevo piso. ¿Te gusta?

2. Y ¿ves?, tiene ventanas grandes en todas las habitaciones.

3. ¡Ah!, y está a 10 minutos a pie del centro.

4. Fíjate..., desde el salón-comedor sales a la terraza.

5. Desde la terraza vemos el parque municipal.

TRANSCRIPCIONES

2c ▶ 43

1.
- Mira Amelia, este es el plano general del nuevo piso. ¿Te gusta?
- Pero, ¡qué grande es!

2.
- ▲ Y ¿ves?, tiene ventanas grandes en todas las habitaciones.
- Entonces tiene luz todo el día. ¡Qué luminoso!

3.
- ¡Ah!, y está a 10 minutos a pie del centro.
- Hombre, ¡qué céntrico! Perfecto para ir al trabajo sin problemas.

4.
- ▲ Fíjate..., desde el salón-comedor sales a la terraza.
- ¡Qué terraza tan grande tiene! Es increíble.

5.
- Desde la terraza vemos el parque municipal.
- ¡Qué vistas tan bonitas! Vuestro nuevo piso es maravilloso.

3 ▶ 44

- Oye, Beto, ¿dónde ponemos las sillas?
- ▲ Mujer, pues en el salón-comedor, por supuesto... Y la lavadora, en el baño, ¿verdad?
- No, no, por favor. El baño no es muy grande... Mmm..., mejor en la cocina.
- ▲ Vale, si quieres...
- La estantería, ¿en el dormitorio pequeño?
- ▲ No, mejor en la entrada. En el dormitorio pequeño ya tenemos el escritorio y el armario.
- ¡Ah! Claro... Bueno, ya solamente falta el sillón. ¿En el pasillo?
- ▲ Mmm. A ver... Prefiero en el salón-comedor, ¿de acuerdo?

9b ▶ 45

- Buenas noches, hotel Cuna de Allende.
- ▲ ¡Hola! Soy Elisa Jakob, soy huésped del hotel... Perdone, pero es que estamos en el Mercado de Artesanías y no sabemos cómo regresar al hotel.
- No se preocupe, señora Jakob. Mire, primero salen del mercado y toman el Callejón de Loreto a la izquierda. Siguen todo recto hasta la calle Insurgentes. ¿De acuerdo?
- ▲ Sí, sí..., tomamos el Callejón de Loreto a la izquierda y seguimos todo recto hasta la calle Insurgentes.
- Muy bien. En la calle Insurgentes giran a la izquierda y siguen todo recto. Luego en Mesones giran a la izquierda...
- ▲ Mesones es la primera calle, ¿verdad?

- Así es. Veo que ya conoce un poco San Miguel.
- ▲ ¡Hemos caminado todo el día!
- Me imagino... Bueno, de Mesones giran a la derecha en Juárez y siguen todo recto hasta el final. Allí está nuestro hotel.
- ▲ Muchas gracias. Nos vemos en unos minutos. ¡Espero...!
- Aquí los esperamos.

15b ▶ 46

1. destino – sexto; 2. corresponde – exposiciones; 3. estudio – exterior; 4. esperar – expresión; 5. escuchar – excursión; 6. fiesta – texto; 7. casas – taxista; 8. estantería – extranjero.

UNIDAD 12
ESTA ES MI VIDA

3 ▶ 47

1. ¡Qué recuerdos, hija! Pensar que viví en Francia a los 15 años por el trabajo de mi padre. ¡Y todavía tengo contacto con mis amigos allí!
2. Después volví a España para hacer el bachillerato. ¡Qué años más intensos!
3. ¡Fíjate...! Salí por primera vez con un chico después del bachillerato, no como ahora, que salen desde muy jóvenes.
4. Los viajes siempre han sido mi pasión. Al terminar el bachillerato, en 1985, viajé por el mundo con una amiga.
5. Bueno, ya sabes que finalmente estudié arquitectura en Lisboa.
6. Precisamente conocí a Manuel, tu papá, en Lisboa en 1989.
7. ¡El amor de mi vida! Nos casamos dos años después.
8. La pasión por la arquitectura la conservo, pero tuvimos a Diego, tu hermano, en 1992. Por eso nunca trabajé. Pero no me arrepiento. Mi vida es hermosa.

5b ▶ 48

¿Quieres saber algo de mi vida? ¡Una vida llena de aventuras! Pero te cuento... Vamos a empezar por el principio, en el que todo parecía ser muy tranquilo. Nací en Madrid a principios del siglo XX, y me casé con Santiago a los 20 años. Después, en 1930 tuve un hijo, pero abandoné a mi marido y a mi hijo a los ocho meses. Luego viajé con un comunista francés a Argentina. Y fui a Rusia un año después. Volví a España en 1939, después de la Guerra Civil. Más tarde fui espía de los ingleses en la Segunda Guerra Mundial.

17b ▶ 49

quieren, izquierda, movimiento, establecimientos, tiene, viviendas, miembro, Viena, Europa, neurólogo, Ceuta, pseudónimo, Eugenia, reunión, neutral, neumático.

SOLUCIONES

UNIDAD 1 HOLA, ¿QUÉ TAL?

1. A Especialidades gastronómicas
B Ruinas mayas
C Playas del Caribe
D Conciertos de música española

2. *Respuesta libre*

3. *cero*, uno, dos, tres, cuatro, cinco, seis, siete, ocho, nueve, diez

3	8
● ● ●	● ● ●
tres	*ocho*

4. 15973

5b.

za/zo/zu ce/ci	ca/co/cu que/qui
Cecilia, concierto, zumo	*Carlos*, guacamole, cócteles, chocolate, cultura

ge/gi j + vocal	ga/go/gu gue/gui
Jorge, jamón, gente	*Gabriela*, guitarra, tango

6. ¡Chao!; Hola, ¿qué tal?; Buenas tardes.; Adiós.; Buenos días.; ¡Hasta mañana!; Buenas noches.; ¡Hasta luego!

7a. yo soy, tú eres, él/ella/usted es, nosotros/-as somos, vosotros/-as sois, ellos/ellas/ustedes son

7b. 1. soy – Yo; **2.** son – somos; **3.** eres – tú; **4.** sois – soy – es

8. ge – *g*; ele – l; eñe – ñ; uve – v; hache – h; ce – c; cu – q; jota – j; ele – l; erre – r; zeta – z
tortilla, jamón serrano, guacamole, tequila, piña colada, vinos chilenos, zumos y cócteles de frutas sin alcohol

9. 1. Cádiz
2. Cartagena
3. Jerez
4. Guadalajara
5. Extremadura
Solución: CARLA

10.
- Hola, buenos días. Soy Juan Pablo Zamora. Y usted, ¿cómo se llama?
- Buenos días. Yo soy Marisa Sandoval.
- Mucho gusto. ¿Es usted de Buenos Aires?
- No, soy de Mendoza. ¿Y de dónde es usted?
- Soy de Lima.
- ¡Qué interesante! Yo visito Lima pronto.
- ¡Qué bien! Mire, mi teléfono es el (511) 478 2916. Marisa, ¿y cuál es su número de teléfono?
- Es el (261) 257 4693. Y mi dirección de correo electrónico es chiquis@red1.com.
- ¡Estupendo! Gracias.

11.

♂ Singular	♂ Plural
el cóctel	*los cócteles*
el concierto	los conciertos
el guacamole	los guacamoles
el jamón	los jamones
el zumo	los zumos
el chocolate	los chocolates
el tango	los tangos

♀ Singular	♀ Plural
la tortilla	*las tortillas*
la fruta	las frutas
la ruina	las ruinas
la guitarra	las guitarras
la noche	las noches
la cultura	las culturas
la ciudad	las ciudades

12.
1. ¿Qué significa "gato"? – Significa *cat*.
2. ¿Cómo se pronuncia la letra "eñe"? – "Ñ", como en España.
3. ¿De dónde eres? – Soy de Zaragoza.
4. ¿Cómo te llamas? – Joaquín, ¿y tú?
5. ¿Cuál es tu número de teléfono? – Es el 486 01 56.
6. ¿Cómo se escribe 4, con "ce" o con "cu"? – Se escribe con "ce".
7. ¿Cuál es su correo electrónico? – joaquinzara@hotmail.es

13. <u>Cultura</u>: monumento, música, tango, ruinas, uitarra, teatro, museo, biblioteca, concierto, televisión
<u>Comida</u>: jamón, tacos, zumo, tortilla, chocolate, queso, piña, fruta, paella

14. 1 b; 2 d; 3 a; 4 f; 5 c; 6 g; 7 e; 8 i; 9 j; 10 h

15. *Respuesta libre*

16b.

acento en la última sílaba	acento en la penúltima sílaba	acento en la antepenúltima sílaba
español	mundo	número
plural	parejas	teléfono
mujer	enlace	música
singular	saludos	electrónico
	imagen	
	importante	

Test 1. b; 2. c; 3. b; 4. a; 5. b; 6. b; 7. c; 8. a; 9. c; 10. b; 11. b; 12. c; 13. b; 14. c; 15. a; 16. b; 17. c; 18. b; 19. b; 20. b

UNIDAD 2   EL ESPAÑOL Y YO

1a.

País	Nacionalidad ♂	Nacionalidad ♀
Canadá	canadiense	canadiense
Austria	austriaco	austriaca
Turquía	turco	turca
España	español	española
Alemania	alemán	alemana
Suiza	suizo	suiza
Holanda	holandés	holandesa
Grecia	griego	griega
Francia	francés	francesa
Rusia	ruso	rusa
Bélgica	belga	belga
Marruecos	marroquí	marroquí
Portugal	portugués	portuguesa

1b. Sven es noruego, de Oslo.
Karin es austriaca, de Salzburgo.
Margreet es holandesa, de Amsterdam.
Ali es turco, de Estambul.
Philippe es belga, de Bruselas.
Irina es rusa, de Moscú.
Mateo es argentino, de Buenos Aires.
Pierrette es francesa, de París.

2. 1. una comida
2. un cantante
3. una marca
4. un futbolista
5. una ciudad
6. un monumento
7. un baile
8. una escritora
9. un nombre
10. un apellido

3a.

	tomar fotografías	practicar deportes
yo	tomo	practico
tú	tomas	practicas
él/ella/usted	toma	practica
nosotros/-as	tomamos	practicamos
vosotros/-as	tomáis	practicáis
ellos/ellas/ustedes	toman	practican

	escuchar música	trabajar en un banco
yo	escucho	trabajo
tú	escuchas	trabajas
él/ella/usted	escucha	trabaja
nosotros/-as	escuchamos	trabajamos
vosotros/-as	escucháis	trabajáis
ellos/ellas/ustedes	escuchan	trabajan

	cocinar una paella	mirar la televisión
yo	cocino	miro
tú	cocinas	miras
él/ella/usted	cocina	mira
nosotros/-as	cocinamos	miramos
vosotros/-as	cocináis	miráis
ellos/ellas/ustedes	cocinan	miran

SOLUCIONES

3b. *Posible solución:*
Tomamos fotografías.; Karin practica deportes.; Escucho música.; ¿Trabajáis en un banco?; Cocinas una paella.; Los niños miran la televisión.

4. Me llamo, soy, Trabajo, escucho, toco, canto, Practicamos, Buscamos

5a. viajar, practicar deportes, tomar fotografías, cocinar, cantar

5b. *Respuesta libre*

6. Marta habla <u>inglés</u> y un poco de <u>italiano</u>.

7.

yo	tú	él/ella/usted
practico	*tomas*	es
soy	organizas	viaja
miro	eres	toma
tengo	cocinas	tiene

nosotros/-as	vosotros/-as	ellos/ellas/ustedes
escuchamos	cocináis	cantan
trabajamos	tenéis	bailan
organizamos	bailáis	son
hablamos	sois	pintan

8a. 1. d; 2. f; 3. e; 4. c; 5. a; 6. b

8b. *Respuesta libre*

9. 1. Mateo; 2. español y portugués; 3. Para viajar por el mundo; 4. Toca el piano, canta en un coro y baila tango; 5. Busca personas para practicar inglés.

10. 1. somos; 2. tienes – es; 3. tengo; 4. tienen; 5. Es – soy; 6. tiene; 7. sois – tenemos; 8. tiene – es; 9. tienen – tenemos

11. Lenguas y nacionalidades: *rusa*, holandés, marroquí, mexicana, portugués, belga, turca.
Aficiones: *cantar*, visitar exposiciones, practicar deportes, viajar, bailar, cocinar.
Objetos para la clase: *diccionario*, bolígrafo, hoja, libro, lápiz, cuaderno, goma, sacapuntas.

12. *Respuesta libre*

13. 1. c; 2. f; 3. h; 4. a; 5. e; 6. b; 7. g; 8. d; 9. l; 10. k; 11. j; 12. i

14. *Respuesta libre*

15a. bolígrafo, to<u>mar</u>, ja<u>món</u>, libro, <u>hoja</u>, fol<u>cló</u>rico, aparta<u>men</u>to, <u>tí</u>pico, holan<u>dés</u>, <u>fá</u>cil, <u>mó</u>vil, nacionali<u>dad</u>, A<u>mé</u>rica, ar<u>tís</u>tico, borra<u>dor</u>

15b. acento en la última sílaba: to<u>mar</u>, ja<u>món</u>, holan<u>dés</u>, nacionali<u>dad</u>, borra<u>dor</u>
acento en la penúltima sílaba: libro, <u>hoja</u>, aparta<u>men</u>to, <u>fá</u>cil, <u>mó</u>vil
acento en la antepenúltima sílaba: *bolígrafo*, fol<u>cló</u>rico, <u>tí</u>pico, A<u>mé</u>rica, ar<u>tís</u>tico

Test 1. c; 2. c; 3. a; 4. b; 5. c; 6. c; 7. a; 8. a; 9. b; 10. c; 11. b; 12. b; 13. a; 14. c; 15. b; 16. c; 17. b; 18. c; 19. c; 20. b

UNIDAD 3   TRABAJO AQUÍ

1a. Leo: profesor, enfermero, informático, empleado de banco, médico; **Leo/Eva:** periodista, cantante, *recepcionista*, taxista, estudiante; **Eva:** cocinera, fotógrafa, vendedora, arquitecta, traductora

1b. *Respuesta libre*

2a. Pedro – profesor – escuela de yoga; Inés – enfermera – hospital; Tomás – cocinero – restaurante; Raúl – recepcionista – hotel; Laura – estudiante – universidad; Marta – fotógrafa – periódico

2b. *Posible solución:*
Pedro es profesor y trabaja en una escuela de yoga.; Inés es enfermera. Trabaja en un hospital.; Tomás es cocinero, trabaja en un restaurante.; Raúl es recepcionista y trabaja en un hotel.; Laura es estudiante, estudia en la universidad.; Marta es fotógrafa y trabaja en un periódico.

3.

	comer *pizza*	vender *productos*
yo	como	vendo
tú	*comes*	vendes
él/ella/usted	come	vende
nosotros/-as	comemos	vendemos
vosotros/-as	coméis	*vendéis*
ellos/ellas/ustedes	comen	venden

beber *un café*	leer *un libro*	escribir *textos*	abrir *la puerta*
bebo	leo	escribo	abro
bebes	lees	escribes	abres
bebe	lee	*escribe*	abre
bebemos	*leemos*	escribimos	*abrimos*
bebéis	leéis	escribís	abrís
beben	leen	escriben	abren

Posible solución:
María y Luis no comen pizza.; ¿Vendéis productos de Latinoamérica?; El jefe bebe un café a mediodía.; Hans lee un libro en español.; Escribimos textos en clase.; Clara abre la puerta.

4. -ar: *miramos*, trabajas, organizan, viaja, habláis, escucho
-er: aprendéis, come, venden, tengo, bebo, tiene, hacemos, lees
-ir: vives, escribimos, vivo, abre, escribís, abren

5. *Posible solución:*
Nosotros comemos ensaladas.; Ellos viven en Madrid.; Tú trabajas en una empresa.; Ustedes escriben cartas.; Yo aprendo idiomas.; Él hace una fiesta.; Ella habla por teléfono.; Vosotras vendéis casas.; Usted abre el libro.

6. *Respuesta libre*

7. 1. tienen – Son; **2.** Bebes; **3.** escribes – habla; **4.** vendéis – Vendemos; **5.** vive – Vive; **6.** comes/coméis – como/comemos

8a. 1c; **2**d; **3**e; **4**b; **5**f; **6**a

8b. *Posible solución:*
1. Bien, ¿y tú?; **2.** Encantado.;
3. Bien, gracias. ¿Y usted?; **4.** Mucho gusto.

9a. A: 1. esta; **B:** 3. este; **C:** 2. Estos

9b. *Respuesta libre*

10. 1. *y* b; **2.** *también* c; **3.** *pero* a; **4.** *también* f; **5.** *y* d; **6.** *pero* e

11. *Cartas*, correos electrónicos, textos, periódicos: son cosas para leer.
Cocinero, recepcionista, camarero, médica: son profesiones.
Trabajar en equipo, vender, hacer reservas, hablar por teléfono: son actividades del trabajo.
Hospital, restaurante, empresa, escuela: son lugares de trabajo.

12. 1. c; **2.** g; **3.** h; **4.** i; **5.** f; **6.** b; **7.** a; **8.** d; **9.** j; **10.** e

13. *Posible solución:*
Soy periodista: Trabajo en una revista.; Viajo por trabajo.; Escribo artículos.
Soy secretaria: Trabajo en una oficina.; Escribo correos electrónicos.; Hablo por teléfono.
Soy estudiante: Estudio en una escuela.; Aprendo idiomas.; Hago los deberes.
Soy dependienta: Trabajo en una tienda.; Vendo productos de decoración.; Hablo con los clientes.

14b.

g/ gu	
se escribe con "g"	**se escribe con "gu"**
inglés	guitarra
diálogo	alguien
grupo	
gambas	

g/ j	
se escribe con "g"	**se escribe con "j"**
imaginario	jamón
gente	trabajo
Argentina	pareja

Test 1. b; **2.** c; **3.** c; **4.** c; **5.** c; **6.** c; **7.** c; **8.** a; **9.** b; **10.** c; **11.** c; **12.** a; **13.** b; **14.** c; **15.** a; **16.** b; **17.** c; **18.** a; **19.** a; **20.** b

UNIDAD 4   ¡ME GUSTAN LAS TAPAS!

1. 1. qu<u>ie</u>res - pref<u>ie</u>ro; **2.** preferimos;
3. pref<u>e</u>rís - pref<u>ie</u>ro, pref<u>ie</u>re;
4. Queréis - qu<u>ie</u>ro;
5. qu<u>ie</u>ren - qu<u>ie</u>re, qu<u>ie</u>ren

2. a. *siete más nueve son dieciséis*;
b. ocho más tres son once;
c. siete más siete son catorce;
d. nueve más tres son doce;
e. cinco más doce son diecisiete;
f. dos más dieciocho son veinte;
g. diez más tres son trece;
h. quince más cuatro son diecinueve

3. 1. *unas*; **2.** unos; **3.** unas gambas; **4.** unos champiñones; **5.** unos calamares; **6.** unas aceitunas

4a.
1 • Buenas tardes, ¿qué quiere tomar?
6 ▪ Un vino tinto. Bueno no, prefiero una cerveza.
3 • De acuerdo... calamares y gambas.
2 ▪ Unos calamares y unas gambas.

SOLUCIONES

9 • Son siete euros. Bueno no, son doce euros.

8 ▪ Muchas gracias. ¿Cuánto es?

7 • Muy bien, una cerveza. Aquí tiene.

4 ▪ Bueno no. Las gambas no, prefiero aceitunas.

5 • Entonces, calamares y aceitunas. ¿Y para beber?

4b. *Respuesta libre*

5. (1) lunes; (5) viernes; (7) domingo; (6) sábado; (4) jueves; (3) miércoles; (2) martes

6. pollo al ajillo: pollo y ajo; **gazpacho:** pimientos y tomates; **tortilla española:** huevos y patatas; **paella:** pimientos y arroz

7. 2,79 €; 4,15 €; 3,55 €; 1,46 €; 1,67 €

8a. *Posible solución:*
un litro de leche: 0,99 €; *100 gramos de queso:* 2,30 €; una botella de vino tinto: 7,60 €; una lata de atún: 2,48 €; un paquete de café: 5,70 €; un kilo de manzanas: 2,29 €

8b. *Respuesta libre*

9. 4 c Sí. Un melón, por favor.
8 c Aquí tiene.
1 v ¿Qué desea?
6 c Sí, gracias. ¿Cuánto es?
2 c Quería tres kilos de mangos.
3 v ¿Algo más?
5 v ¿Es todo?
7 v Son siete euros con ochenta céntimos.

10a. *A mí me; A ti te; A él le; A ella le; A usted le*

10b. gusta: la leche, hablar español, el pescado, probar platos, el aceite
gustan: las manzanas, los plátanos, las verduras, los calamares, las tapas

10c. *Posible solución:*
A Cecilia le gustan mucho las verduras.
A Manolo le gusta bastante la carne.
A Inés no le gusta nada el queso.

11. 1. quieres – me gusta
2. queréis, preferís – me gustan
3. le gusta – prefiere
4. Quería
5. les gustan
6. te gustan – me gusta – me gusta

12. *Respuesta libre.*

13. *Posible solución:*
Fruta y verdura: naranjas, manzanas, plátanos, lechuga, tomate, ajo, cebolla, pimiento, patatas, champiñones...
Otros alimentos: huevos, carne, pollo, atún, gambas, calamares, pan, arroz, aceite...

Lácteos: yogur, leche, mantequilla, queso...
Bebidas: cerveza, vino, zumo, agua...

14. 1. d; 2. j; 3. b; 4. e; 5. h; 6. c; 7. f; 8. a 9. g; 10. i

15. Un kilo de: plátanos, café, queso, mantequilla, naranjas, atún, tomates, pollo, arroz, champiñones
Un litro de: aceite, zumo, leche, agua
Una botella de: aceite, zumo, leche, agua
Una lata de: atún, champiñones
Un paquete de: café, mantequilla, arroz

16. 1. fotos; 2. un restaurante; 3. agua; 4. un bolígrafo; 5. libros; 6. un pastel; 7. una ciudad; 8. idiomas

17b.

/k/ como en **casa**	
se escribe con "c"	se escribe con "qu"
calamares	mantequilla
compra	queso
rico	querer
camarero	croquetas

c/z como /th/ en inglés	
se escribe con "c"	se escribe con "z"
cerveza	manzanas
cocina	gazpacho
tradicional	chorizo
aceitunas	zumo

17c. En Latinoamérica, en algunas zonas del sur de España y en las islas Canarias, la c delante de las letras e/i y la z delante de a/o/u se pronuncian como una s.

Test 1. b; 2. c; 3. b; 4. a; 5. b; 6. a; 7. b; 8. c; 9. b; 10. a; 11. b; 12. c; 13. b; 14. c; 15. b; 16. b; 17. b; 18. c; 19. b; 20. b

UNIDAD 5   EN FAMILIA

1. la madre – *las madres;* las hermanas – los hermanos; la tía – las tías; la sobrina – las sobrinas; los primos – las primas; el marido – la mujer; las abuelas – los abuelos; el nieto – la nieta

2a. 1. *la mujer;* 2. la hija; 3. el marido; 4. la prima; 5. el sobrino; 6. los padres; 7. los abuelos; 8. la tía; 9. *Posible solución:* Catalina es la mujer de Rodrigo; 10. *Posible solución:* Luis, Alejandra y Pablo son los nietos de Sara y Miguel.

noventa y nueve **99**

SOLUCIONES

2b. *Posible solución:*

1. (Se llama) Santiago.; **2.** Tiene una hermana.; **3.** Santiago y Julieta.; **4.** Tiene tres nietos. Se llaman Luis, Alejandra y Pablo.; **5.** Tiene dos primos, Alejandra y Pablo.

3a. yo me llamo, tú te llamas, él se llama, usted se llama, nosotros nos llamamos, vosotros os llamáis, ustedes se llaman, ellos se llaman

3b.

1. se llaman – se llama
2. me llamo
3. os llamáis – Nos llamamos
4. se llama – se llaman
5. te llamas – se llama

4a.

A Son mis periódicos.
B Son nuestras bicicletas.
B Es nuestro perro.
C Es su perro.
A Es mi guitarra.
C Son sus periódicos.
A Es mi móvil.

4b. *Posible solución:*

La familia Cervantes pregunta:	Felipe pregunta:
¿Son tus periódicos?	¿Son vuestras bicicletas?
¿Es tu guitarra?	¿Es vuestro perro?
¿Es tu móvil?	¿Son vuestros hijos?

5a.

- A ver, a ver, ¿tienes fotos en el móvil?
- Sí, mira.
- ¿Quiénes son estos?
- Esta es la familia de mi hermana Sabrina.
- ¡Qué linda! Es tu hermana menor, ¿verdad?
- Así es. Estos son sus hijos, Juan Carlos y Ofelia.
- ¡Qué lindos tus sobrinos! ¡Y qué guapo es el marido de tu hermana!
- Bueno, no están casados. Es su novio.
- Entonces... ¿no es el padre de los niños?
- No. Su padre vive ahora con otra mujer. Y tú, ¿tienes fotos en tu móvil?
- Sí. Mira, esta es mi familia.
- ¡Pero si son dos hombres!
- Claro. Son mis hombres.
- ¿Cómo?
- Pues son mi padre y mi hermano.
- ¡Ah! ¿Y tu hermano está soltero?

- No, mujer. Está casado y tiene tres hijos. Nuestra familia es muy grande.
- ¿Y esta? ¿Es tu mascota?
- No, es de mi padre. Es su compañera.

6a. LEO: tiene 35 años, está soltero, es médico, vive en Bilbao.
ENCARNA: tiene 67 años, está viuda, está jubilada, vive con su hija en Sevilla.
ANA y VÍCTOR: tienen 30 años, están casados, trabajan en un hotel, viven en Barcelona.

6b. *Respuesta libre*

7. ES: moreno/a, rubio/a, delgado/a, gordito/a, joven, mayor
LLEVA: gafas
TIENE: el pelo largo, bigote, el pelo corto, barba, los ojos azules

8. 1. Es rubia.; **2.** Es mayor.; **3.** Es delgado.; **4.** Lleva gafas.; **5.** Tiene el pelo largo.; **6.** Es alto.

9. c optimista ↔ pesimista
c alegre ↔ serio
f joven ↔ mayor
f delgado ↔ gordito
f rubio ↔ moreno
c divertido ↔ aburrido
c simpático ↔ antipático
f alto ↔ bajito
c sociable ↔ tímido

10. A Susana, el dieciocho de febrero;
B Juana y Jimena, el treinta y uno de noviembre;
C Carlos, el dos de mayo

11a.

11b. Enero, Marzo, Abril, Junio, Agosto, Septiembre Noviembre, Diciembre

SOLUCIONES

12. 1. Cómo; **2.** Quién; **3.** Cuántos; **4.** De dónde;
5. Cuándo

13. *Relaciona los textos con las fotos.*
Completa la tabla.
Escucha otra vez.
Comprueba tus respuestas.
Compara con tu compañero/-a.
Lee el artículo.
Marca la opción correcta.

14a.

/r/ (vibrante simple)

1 (personas), 2 (pero), 5 (marido), 6 (sobrina),
7 (primo), 9 (Aurora), 11 (hermana)

/rr/ (vibrante múltiple)

3 (respuesta), 4 (arroz), 8 (rubia), 10 (ritmo),
12 (correo)

14b. La *r* a principio de palabra y la *rr* son vibrantes
múltiples.

Test 1. b; **2.** b; **3.** b; **4.** c; **5.** b; **6.** c; **7.** b; **8.** b; **9.** c; **10.**
b; **11.** b; **12.** b; **13.** c; **14.** c; **15.** b; **16.** a; **17.** b; **18.** b;
19. c; **20.** b

UNIDAD 6   MI BARRIO

1a. *Posible solución:*
  1. una parada de autobús
  2. una plaza, una iglesia
  3. un mercado
  4. un parque
  5. un río

1b. *Respuesta libre*

2. *Respuesta libre*

3. 1. hay – está
  2. está – está
  3. Hay – hay, está
  4. está – hay
  5. Hay – están

4a. *Posible solución:*

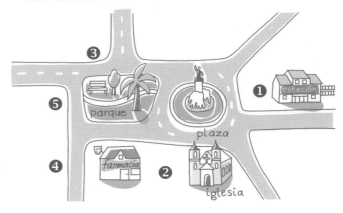

4b.
  1 cerca de la farmacia
  3 detrás de la plaza
  2 delante de la estación
  X enfrente del parque
  4 al lado de la iglesia
  X lejos del banco

5a.

	v	f
... admirar arte popular.	X	
... ir a la playa.		X
... ir al Centro de Arte Moderno.		X
... tomar unas copas en un bar.	X	
... comer platos internacionales.		X
... escuchar música en vivo.	X	
... comprar artesanía como recuerdo para llevar a casa.	X	

5b. *Posible solución:*
  Primero van a la Plaza de la Amistad para admirar arte
  popular y comprar artesanía como recuerdo para llevar
  a casa.
  Después van al río y comen platos típicos de la región.
  Luego visitan el centro histórico con sus museos y
  plazas antiguas. Y por la noche cenan en casa de Óscar.
  Al final toman unas copas en un bar cerca de la casa
  de Óscar.

6. Teresa va al/~~en el~~ trabajo a/~~en~~ bici, pero prefiere
ir ~~a~~/en autobús al/~~en el~~ centro porque está
más lejos. En su ciudad no hay metro, pero hay
un tranvía. Hace sus compras ~~al~~/en el mercado
y va a/~~en~~ pie porque está muy cerca. Su marido
va a la/~~en la~~ oficina ~~a~~/en autobús. No le gusta
la bicicleta y cree que la moto es solo para jóvenes.

SOLUCIONES

Teresa y su marido usan el coche solamente los fines de semana. Les gusta ir ~~a~~/en coche ~~a~~/en las montañas. El tren es muy caro y no hay buenas conexiones.

7. *Respuesta libre*

8a.

	ir	poder (o>ue)	ver
yo	voy	puedo	veo
tú	vas	puedes	ves
él/ella/usted	va	puede	ve
nosotros/-as	vamos	podemos	vemos
vosotros/-as	vais	podéis	veis
ellos/ellas/ustedes	van	pueden	ven

8b.

- Hola, buenos días. ¿Nos <u>puede</u> ayudar?
- Claro. ¿Qué <u>puedo</u> hacer por vosotros?
- ¿Qué <u>podemos</u> hacer en Madrid en un día?
- ¡Uf! Bueno, <u>podéis</u> visitar el Palacio Real, la catedral de la Almudena...
- Yo quiero ver el Palacio Real.
- Pero yo prefiero ver la catedral.
- Bueno, entonces primero <u>veis</u> la catedral, que es muy bonita. Los turistas <u>pueden</u> subir a la terraza...
- Sí, y luego <u>vemos</u> el Palacio Real. ¿Y para ir de compras...?
- ¡Ay no! ¡Ay no! ¡Compras otra vez!
- Madrid es famoso por sus tiendas. Muchas personas <u>van</u> de compras a las calles alrededor de la Gran Vía, la Puerta del Sol, la Plaza Mayor... Es la zona del centro.
- Perdone, ¿y a dónde <u>va</u> la gente a tomar tapas en Madrid?
- También a la zona del centro.
- Entonces tú <u>vas</u> de compras y yo <u>voy</u> a tomar tapas.

9a. <u>muchos</u> músicos
<u>muy</u> tradicional
<u>muchas</u> ventanas
<u>muchos</u> tranvías
<u>muchos</u> ríos
<u>muy</u> práctico
<u>muy</u> cerca

<u>muchos</u> coches
<u>muchas</u> calles
<u>muchas</u> tiendas
<u>muy</u> caro
<u>muchos</u> parques

9b. 1. mucho; **2.** muy; **3.** Muchas – mucho, muy; **4.** muy, muchas, muy, muchos; **5.** muchos – muy

10. *Respuesta libre.*

11. *Posible solución:*
En un parque: correr, leer un libro, jugar a la pelota, llevar gafas de sol, pasear
En un mercado: comprar, comer, desayunar, pasear
En una discoteca: bailar
En un museo: mirar obras de arte
En un hotel: dormir, comer, desayunar
En una biblioteca: estudiar, leer un libro
En una piscina: nadar, jugar a la pelota, llevar gafas de sol

12a. 1. el metro; **2.** el tren; **3.** la moto; **4.** el coche; **5.** la bicicleta; **6.** el autobús; **7.** el tranvía; **8.** ir a pie

12b. *Respuesta libre.*

13. 1. el coche; **2.** el metro **3.** el autobús

14.
1. calle – ~~tráfico~~ – parque – mercado
2. norte – sur – ~~metro~~ – oeste
3. turístico – tradicional – ~~barrio~~ – moderno
4. a la izquierda – ~~descansar~~ – al lado del – enfrente del
5. primero – después – ~~lugar~~ – al final
6. coche – ~~foto~~ – tren – bici
7. puntual – ecológico – rápido – ~~recorrido~~
8. museo – iglesia – farmacia – ~~río~~

15.

6 compañero	1 cumpleaños
7 araña	13 señora
8 una	11 champiñón
4 champaña	2 pena
5 tono	10 cuñado
9 cuna	12 sueño
14 montaña	3 mañana

Test 1. c; **2.** a; **3.** c; **4.** c; **5.** c; **6.** b; **7.** b; **8.** b; **9.** c; **10.** b; **11.** c; **12.** a; **13.** c; **14.** b; **15.** a; **16.** b; **17.** b; **18.** c; **19.** b; **20.** c

UNIDAD 7 MI DÍA A DÍA

1a.

	infinitivo	yo	tú	él/ella/ usted	nosotros/ -as	vosotros/ -as	ellos/ellas/ ustedes
e > ie	empezar	empiezo	*empiezas*	empieza	empezamos	empezáis	empiezan
	querer	quiero	quieres	quiere	queremos	queréis	quieren
o > ue	volver	vuelvo	vuelves	vuelve	volvemos	volvéis	*vuelven*
	acostarse	*me acuesto*	te acuestas	se acuesta	nos acostamos	os acostáis	se acuestan
e > i	vestirse	me visto	te vistes	*se viste*	nos vestimos	os vestís	se visten
	pedir	pido	pides	pide	pedimos	*pedís*	piden
u > ue	jugar	juego	juegas	juega	*jugamos*	jugáis	juegan
-g-	salir	*salgo*	sales	sale	salimos	salís	salen
	hacer	hago	haces	hace	*hacemos*	hacéis	hacen

1b. En las celdas en blanco aparecen las formas
<u>regulares</u>.

2. *Posible solución:*
Por la mañana: despertarse, levantarse, ducharse,
vestirse, escuchar la radio, salir de casa, empezar a
trabajar
Al mediodía: almorzar
Por la tarde: ir al súper, hacer deporte, volver a casa
Por la noche: cenar, ver la televisión, leer un libro,
acostarse

3a. Por la mañana:
Paula <u>empieza</u> el día muy temprano. <u>Se despierta</u> a
las seis y lee un rato en la cama. Después <u>se ducha</u> con
tranquilidad y <u>se viste</u> antes de preparar el desayuno.
Su hijo <u>se levanta</u> a las siete. <u>Desayunan</u> juntos y <u>salen</u>
de casa a las ocho.

Al mediodía:
Daniel <u>almuerza</u> en el colegio. Paula tiene tres horas de
pausa a mediodía. <u>Almuerza</u> algo rápido en la oficina y
<u>va</u> al gimnasio o <u>hace</u> la compra en el súper.

Por la tarde:
Daniel <u>vuelve</u> a casa a eso de las cuatro y media.
Después de hacer los deberes <u>juega</u> un poco con el
ordenador. Paula <u>vuelve</u> más tarde y <u>prepara</u> la cena
para los dos.

Por la noche:
Paula y Daniel <u>prefieren</u> cenar temprano, a eso de las
ocho. Después de cenar <u>ven</u> la tele. Finalmente, a eso
de las diez Daniel <u>se acuesta</u>. Paula <u>lee</u> un rato más
antes de acostarse.

3b. *Respuesta libre*

4a. 1. comida; **2.** cenar; **3.** trabajo; **4.** desayunar;
5. trabajar

4b. Delante de un <u>sustantivo</u> se utiliza *antes/después
de* + artículo (= *del / de la*), delante de un <u>verbo</u> se
utiliza *antes/después de* (sin artículo).

5a. A (Es) la una menos cuarto.
B (Son) las siete y veinticinco.
C (Son) las cuatro.
D (Son) las diez y diez.

5b.

1.
☠ las nueve y cuarto
◯ las nueve menos cuarto

2.
◯ las cinco y cinco
☠ las cinco menos cinco

3.
☠ las seis y media
◯ las diez y media

4.
◯ las tres en punto
☠ las tres menos
veinticinco

SOLUCIONES

6a. 1. verdadero; **2.** falso (Tiene dos horas.);
3. verdadero; **4.** verdadero; **5.** falso (Cierra a las
ocho.); **6.** falso (No trabaja los sábados porque cierra
los fines de semana.)

6b. *Posible solución:*
¿A qué hora se levanta?; ¿A qué hora empieza a
trabar?; ¿Cuándo hace la pausa de mediodía?; ¿A qué
hora sale del trabajo?; ¿Qué hace por la noche?...

7. *Posible solución:*
1. La escuela empieza a las ocho.
2. Los niños almuerzan sobre las doce.
3. Tienen una pausa entre las doce y la una.
4. Vuelven a casa sobre las cinco.
5. Sale del trabajo a las ocho más o menos.

8. 1. nadar **2.** jugar al tenis **3.** hacer senderismo **4.** salir
con amigos **5.** leer **6.** ver la televisión **7.** correr
8. ir de compras **9.** ir al cine **10.** pasear

9. Durante la semana, Javier *escribe correos
electrónicos* a sus amigos. También por la noche lee
un libro o ve la televisión. A veces va al cine. Corre
antes del trabajo, por la mañana.
Durante el fin de semana, Javier hace senderismo o
juega al tenis. A veces va a pasear. Por las noches, sale
siempre con amigos.

10a. nunca, casi nunca, a veces, una vez a la semana,
dos veces a la semana, a menudo, todos los días,
siempre

10b.
1 levantarse tarde
2 desayunar tranquilamente
1 empezar a trabajar por la tarde
1 almorzar a menudo en un restaurante
2 acostarse tarde casi siempre
1 volver a casa a medianoche
3 acostarse antes de las nueve
3 tocar el piano por la tarde
2 cocinar para la cena
3 ir al colegio temprano todos los días

11. 1 de **2.** por **3.** de **4.** por **5.** de **6.** por

12. *Respuesta libre*

13.

tocar	jugar	hacer	ir
la guitarra	al fútbol	yoga	al cine
el piano	al tenis	senderismo	de compras
	al golf	deporte	al teatro

14. 1. b; **2.** e; **3.** a; **4.** c; **5.** h; **6.** d; **7.** g; **8.** f

15. *Respuesta libre*

16.
1. Nunca salgo los domingos.
2. ¿En el triatlón, los atletas corren y nadan?
3. Su madre toca el piano.
4. ¿Los viernes juegan al tenis en el club?
5. ¿No te gusta ir de compras?
6. Desayunamos antes de salir de casa.
7. Inés y Ana hacen yoga.
8. ¿El jefe almuerza en un restaurante japonés?
9. A Clara le gusta el fútbol.
10. ¿Vais al cine este fin de semana?

Test 1. b; **2.** c; **3.** b; **4.** c; **5.** b; **6.** b; **7.** c; **8.** b; **9.** a; **10.** b;
11. b; **12.** a; **13.** b; **14.** b; **15.** c; **16.** b; **17.** b; **18.** a;
19. b; **20.** c

UNIDAD 8   DE VACACIONES

1. 1. d, **2.** b, **3.** a, **4.** c

2. te interesan; me gusta; A mí; les interesa;
me gustan; No me gustan; Me encanta

3a. *4* (Manuela): intelectual, *1* (Susana): sociable; *2*
(Rafael): aventurero; *3* (Eduardo): solitario

3b. *Posible solución:*
A Johanna le gusta pasar sola las vacaciones. Le gusta
viajar en otoño a zonas rurales y alojarse en una casa
rural. Le gusta viajar en tren y en bicicleta.

Tipo de viajera: solitaria

4a.
1. A Bea no le gustan las grandes   A Marisa sí.
ciudades.
2. A Bea le encantan las playas.   A Marisa no.
3. A Bea le gustan   A Marisa también.
la naturaleza y el campo.
4. A Bea no le gustan los deportes.   A Marisa tampoco.

4b. *Posible solución:*
Bea prefiere las vacaciones en la playa.
Marisa prefiere las vacaciones culturales.

5a. Hotel Málaga Centro

5b. 1. desayuno (incluido); **3.** aparcamiento; **4.** piscina;
5. aire acondicionado; **6.** restaurante; **7.** *spa*;
9. alquiler de bicicletas; **10.** internet (gratis)

SOLUCIONES

5c. **Málaga Centro:** 1, 2, 3
    Posada Málaga: 4, 5, 6, 7

6a.

6b.
1. Se <u>puede</u> cenar a la carta.   (Sí)
2. Se <u>alquilan</u> bicicletas.   (Sí)
3. Se <u>aceptan</u> tarjetas de crédito.   (Sí)
4. Se <u>admiten</u> animales.   (No)

7a.

	Infinitivo	Participio
-AR	alquilar	alquilado
	viajar	viajado
-ER	ser	sido
	conocer	conocido
-IR	ir	ido
	vivir	vivido

	Infinitivo	Participio
irregulares	decir	dicho
	escribir	escrito
	poner	puesto
	ver	visto
	volver	vuelto
	hacer	hecho

7b. 1. han; **2.** hemos; **3.** has; **4.** ha, ha; **5.** he; **6.** habéis

8. *Posible solución:*
Hoy tus hijos no han desayunado en casa.
Esta mañana Elvira ha leído el periódico.
Esta semana Jaime y Rosita han pasado unos días en la playa.
Este año hemos hecho el Camino de Santiago.
Hoy he nadado en un río.
Esta mañana habéis paseado por el bosque, ¿no?
Este año el señor Ruiz ha visitado ruinas incas en Cuzco.

9. Marisa y Bea ya han ido de compras a la calle Larios.; Ya han visitado la catedral de Málaga.; Ya han comprado almendras fritas en el Mercado de las Atarazanas.; Ya se han hecho un selfie con Picasso en la Plaza de la Merced y han caminado por el paseo de la Farola.
Marisa y Bea todavía no han subido al castillo de Gibralfaro.; Todavía no han admirado la Alcazaba y no han comido unos pinchos en el muelle.; Todavía no han visto el Museo Picasso Málaga.

10. *Respuesta libre*

11. 1 catedral, **2** playa, **3** mercado, **4** lago, **5** ruina, **6** volcán

12. 1. g; **2.** d; **3.** b; **4.** f; **5.** j; **6.** l; **7.** a; **8.** e; **9.** c; **10.** i; **11.** h; **12.** k

13. 1. verano **2.** primavera **3.** otoño **4.** invierno

14. baño, televisión, calefacción, minibar, internet gratuito, aire acondicionado

15. *Posible solución:*
solo – con amigos – en pareja – en viajes organizados – con la familia...
la playa – las montañas – las grandes ciudades – las zonas rurales...
hotel – casa rural – *camping* – apartamento...
nadar – visitar ruinas – escalar – hacer *rafting* – subir a un volcán – viajar en barco...
en avión – en tren – en barco – en autobús – en coche...
televisión – minibar – aire acondicionado – baño – calefacción...
spa – aparcamiento – ascensor – desayuno – internet gratuito – piscina – alquiler de bicicletas – restaurante...

16a. 1. gente   **4.** agencia   **7.** ecológico
     2. mejor   **5.** paisajes   **8.** viajar
     3. tarjeta   **6.** región   **9.** vegetariano

Test 1. b; **2.** a; **3.** a; **4.** a; **5.** b; **6.** c; **7.** b; **8.** c; **9.** a; **10.** b; **11.** c; **12.** a; **13.** c; **14.** a; **15.** c; **16.** a; **17.** c; **18.** b; **19.** b; **20.** c

SOLUCIONES

UNIDAD 9   COMPRAR Y COMER EN ALICANTE

1. 1. vinos españoles
2. zapatos
3. crema solar
4. ropa
5. postales

2. Carlos: traje, corbata
Carla: falda, vestido, blusa
Carlos y Carla: camiseta, *pantalones*, jersey, zapatos, camisa, abrigo, vaqueros, chaqueta, botas

3a. *unos pantalones marrones*; una camiseta negra; un abrigo rosa; unos vaqueros grises; una blusa azul; unas chaquetas naranja; una botas verdes; una corbata amarilla; un pañuelo rojo

4. 1. Es elegante, a rayas y es *de seda*. → la corbata (D)
2. Es a rayas, gris y negro y es de lana. → el jersey (A)
3. Es informal, de algodón y es a cuadros. → la camisa (B)
4. Son juveniles, cortos y son de colores. → los pantalones (C)
5. Es corto, de verano y es elegante. → el vestido (E)

5. a. 1036; **b.** 240; **c.** 2878; **d.** 55; **e.** 378 900

6. a. *seis mil quinientas setenta tiendas*
b. doscientas treinta y cuatro nuevas aperturas
c. ciento treinta y tres mil cuatrocientos setenta empleados
d. tres millones cuatrocientos cuarenta y un mil novecientos sesenta y nueve metros cuadrados
e. cuatrocientas setenta y cuatro tiendas
f. dieciséis mil setecientos veinticuatro millones de euros

7. esta, esa, esta, ese, Este, ese, estos, Esos

8. *Posible solución:*
CA **1.** ¿Qué van a tomar?
CL **2.** Una botella de agua sin gas.
CL **3.** ¿Nos trae la cuenta, por favor?
CA **4.** ¿Toman algo de postre?
CA **5.** Sí, por supuesto, ahora mismo.
CA **6.** ¿Y de segundo?
CL **7.** Para mí, de primero una sopa.
CL **8.** Yo, tarta de chocolate y un café solo.

9. 1. El gazpacho.   **c.** *Lo* quiero de primero.
2. La cerveza.   **d.** La bebo muy fría.
3. El flan.   **a.** Lo hago yo en casa.
4. La merluza.   **f.** La pido siempre con patatas.
5. Las naranjas.   **b.** Las compro en la frutería.

6. Los tomates.   **e.** Los tomo en ensalada.
7. El café.   **h.** Lo tomo con leche.
8. El pan.   **g.** Lo como tostado.

10.

otro	otra	(un poco) más (de)
flan, cuchillo, vaso, café, tenedor, postre, zumo, vino	servilleta, cuchara, cerveza, copa, cucharilla	agua, vino, pan, pimienta, azúcar, café, zumo, sal

11.
1. Una pastelería es una tienda que vende pasteles.
2. Casa Mercedes es una arrocería que tiene la mejor paella de la ciudad.
3. Es una sidrería donde se toma la sidra más deliciosa.
4. Carmina y Luis están en la marisquería donde comemos los domingos.
5. La cervecería que está en Múnich es famosa.
6. Una arrocería es un restaurante donde hacen paellas.
7. El hotel que está en Buenos Aires es de lujo.
8. La pizzería donde cenamos está en el centro.
9. La pastelería donde compramos el pastel de cumpleaños es muy cara.

12. *Respuesta libre*

13. La sopa se come con *cuchara* (1). La carne se come con tenedor (7) y cuchillo (3). Para el postre y el café necesito una cucharilla (6). El agua se bebe en un vaso (8), pero el vino en una copa (2). El arroz se sirve en un plato (5). En la mesa siempre hay pimienta (9) y sal (4). Para limpiarnos, utilizamos una servilleta (10).

14. 1. d; **2.** i; **3.** e; **4.** g; **5.** h; **6.** a; **7.** f; **8.** b; **9.** c

15. sandalias marrones – blusa corta; patatas fritas – pantalones juveniles; pollo asado – abrigo gris; traje negro – falda cómoda; tarta de chocolate – chaqueta de cuero

16. *Posible solución:*
1. paella **2.** marisco **3.** sidra **4.** postales **5.** zapatos **6.** sardinas

17. 1. pescadería **2.** carnicería **3.** frutería **4.** verdulería **5.** pastelería **6.** papelería / librería

18a. No hay diferencia al pronunciar de la **b** y la **v**.

Test 1. b; **2.** c; **3.** b; **4.** a; **5.** b; **6.** c; **7.** b; **8.** c; **9.** b; **10.** c; **11.** b; **12.** b; **13.** c; **14.** b; **15.** c; **16.** c; **17.** b; **18.** a; **19.** b; **20.** c

SOLUCIONES

UNIDAD 10   ¡BUEN FIN DE SEMANA!

1. <u>tomar</u> algo en una terraza; <u>ir</u> a un concierto; <u>hacer</u> una excursión; <u>pasear</u> por la playa; <u>ver</u> una exposición; <u>ir</u> al cine

2a. *Posible solución:*
   1. Voy a comer cocina mediterránea o *tex-mex* en Juanita Lalá o voy al cine.
   2. Voy a escuchar jazz en la Pedrera.
   3. Puedo ir a cenar o al cine o al Club Capital a ver el cabaré *Diario de un cuarentón*.
   4. Puedo pasar el fin de semana en Figueras y hacer una visita al Museo Dalí.
   5. Puedo ir de martes a domingo de 9:00 a 19:00.

2b. *Posible solución:*
   1. Mañana Luisa va a visitar Cadaqués.
   2. El domingo Elena y Federico van a cenar en Juanita Lalá.
   3. Mis hijos y yo vamos a viajar a Barcelona el mes próximo.
   4. Tú vas a ir al cine este fin de semana.
   5. Tu pareja y tú vais a pasear por el centro esta tarde.

3. 1. ▲ ¿Qué película <u>van a ver</u>?
   2. ▲ ¿En qué restaurante <u>vais a cenar</u>?
   3. ▲ ¿A qué isla <u>va a viajar/ir</u>?
   4. ▲ ¿A dónde <u>va a ir</u>?
   5. ▲ ¿Qué tipo de curso <u>vas a hacer</u>?

4. *Posible solución:*
   Foto 1: Hace sol.; Hace calor.; Hace buen tiempo.
   Foto 2: Hace viento.; Hace cinco grados.; Llueve.; Está nublado.
   Foto 3: Hace dos grados bajo cero.; Hace frío.; Nieva.
   Foto 4: Hay niebla.

5a. *Posible solución:*
   En Quito llueve y hace mal tiempo. Hace ocho grados.
   En Buenos Aires está nublado. Hace trece grados.
   En Asunción hace calor. Hace sol y hace veintiún grados.
   En La Paz llueve y hace frío. Hace cero grados.
   En Santiago hace buen tiempo. Hace sol y hace catorce grados.
   En Caracas hay tormenta y hace mucho calor. Hace treinta grados y está nublado.

5b. a. – 5; **b.** – 6; **c.** – 3; **d.** – 4; **e.** – 2; **f.** – 1

6. 1. quedamos; **2.** quedamos – quedarme;
   3. quedamos; **4.** quedarse; **5.** se quedan

7. • Oye, Julia, ¿qué crees? ¿Vamos al cine esta semana? Ya está en el cine la película ganadora del Óscar.
   ▲ Ay no, María. ¿De verdad? ¡Qué mala suerte! Esta semana <u>no puedo</u> ir al cine. No tengo tiempo.

• ¡Ay, mujer! Si son solamente dos horas, no dos días.
▲ Pues no tengo dos horas libres. <u>Tengo que</u> estudiar para un examen.
• ¿Y si quedamos el miércoles por la noche? No tienes clases...
▲ <u>Lo siento</u>, no puedo tampoco. <u>Es que</u> el miércoles tengo que <u>quedarme</u> en la biblioteca a hacer un trabajo.
• Uf... Entonces..., <u>¿por qué no</u> vamos el viernes? Ya termina la semana y tienes tiempo.
▲ Vale. ¿A qué hora <u>quedamos</u>?

8. *Posible solución:*
   1. Bueno..., sí, claro que me apetece, pero no puedo. Es que tengo que ir al dentista a las 18:00.
   2. ¡Hola, Carina! Vale, quedamos el viernes a las 10:00.
   3. ¡Claro, Luis! ¿Quedamos a las tres? Es que antes tengo que ir al peluquero.

9. *Posible solución:*
   1. van a ir de excursión. **2.** va a cocinar. **3.** vais a jugar al tenis. **4.** vas a ir de vacaciones. **5.** vamos a ver la televisión **6.** va a tocar el piano

10b. *Posible solución:*
   1. Se puede bucear, nadar, navegar...
   2. La mejor manera de viajar a Cayo Largo es en avión.
   3. Se tarda 30 minutos.

11.
   1. ¡El vuelo no me ha gustado nada! ☹
   2. ¡Ha sido un día precioso! ☺
   3. ¡La playa me ha encantado! ☺
   4. ¡Qué calor ha hecho! ☹
   5. ¡Ha hecho un tiempo horrible! ☹

12. POSITIVO: perfecto, genial, bonito, precioso, espectacular, interesante, ideal, fantástico
   NEGATIVO: horrible, horroroso, pésimo

13. *Respuesta libre*

14a. 1. a; **2.** c; **3.** b; **4.** d; **5.** f, **6.** e

14b. a. 2; **b.** 3; **c.** 5; **d.** 1; **e.** 6; **f.** 4

15. 1. toalla; **2.** mochila; **3.** plano;
   4. pasaporte; **5.** paraguas; **6.** crema solar;
   7. gorra; **8.** botas; **9.** cepillo de dientes

16b. La *ll* y la *y* delante de vocal normalmente se pronuncian igual. La *y* al final de palabra se pronuncia como *i*.

Test 1. c; **2.** b; **3.** b; **4.** c; **5.** b; **6.** b; **7.** b; **8.** c; **9.** b;
   10. a; **11.** c; **12.** b; **13.** a; **14.** b; **15.** c; **16.** b; **17.** b;
   18. c; **19.** b; **20.** a

TRANSCRIPCIONES

UNIDAD 4
¡ME GUSTAN LAS TAPAS!

4a ▶ 12
- ● Buenas tardes, ¿qué quiere tomar?
- ▲ Unos calmares y unas gambas.
- ● De acuerdo… calamares y gambas.
- ▲ Bueno no. Las gambas no, prefiero aceitunas.
- ● Entonces, calamares y aceitunas. ¿Y para beber?
- ▲ Un vino tinto. Bueno no, prefiero una cerveza.
- ● Muy bien, una cerveza. Aquí tiene.
- ▲ Muchas gracias. ¿Cuánto es?
- ● Son siete euros. Bueno no, son doce euros.

7 ▶ 13
- ● Hola Lucía. Por favor, dime los precios del día.
- ▲ Claro, Eduardo. ¿Estás listo? ¿Tienes un lápiz?
- ● Sí, sí. Estoy listo para escribir.
- ▲ Muy bien. A ver… Huevos orgánicos, 2,79 €.
- ● ¿Dos con setenta y nueve?
- ▲ Sí, exactamente. Continúo: pollo entero, 4,15 €, arroz integral, 3,55 €; tomate Roma, 1,46 €…
- ● Vale, tomate, uno con cuarenta y seis…
- ▲ Y las patatas, el kilo, 1,67 €.
- ● ¿Es todo?
- ▲ Sí, Eduardo. Estos son los precios del día.
- ● ¡Muchas gracias por tu ayuda!

10b ▶ 14
leche, hablar español, pescado, manzanas, probar nuevos platos, plátanos, aceite, verduras, calamares, tapas.

17a ▶ 15
calamares, cerveza, manzanas, mantequilla, gazpacho, cocina, tradicional, queso, chorizo, zumo, querer, aceitunas, compra, rico, croquetas, camarero.

17c ▶ 16
calamares, cerveza, manzanas, mantequilla, gazpacho, cocina, tradicional, queso, chorizo, zumo, querer, aceitunas, compra, rico, croquetas, camarero.

UNIDAD 5
EN FAMILIA

5b ▶ 17
- ● A ver, a ver, ¿tienes fotos en el móvil?
- ▲ Sí, mira.
- ● ¿Quiénes son estos?
- ▲ Esta es la familia de mi hermana Sabrina.
- ● ¡Qué linda! Es tu hermana menor, ¿verdad?
- ▲ Así es. Estos son sus hijos, Juan Carlos y Ofelia.
- ● ¡Qué lindos tus sobrinos! ¡Y qué guapo es el marido de tu hermana!

- ▲ Bueno, no están casados. Es su novio.
- ● Entonces… ¿no es el padre de los niños?
- ▲ No. Su padre vive ahora con otra mujer. Y tú, ¿tienes fotos en tu móvil?
- ● Sí. Mira, esta es mi familia.
- ▲ ¡Pero si son dos hombres!
- ● Claro. Son mis hombres.
- ▲ ¿Cómo?
- ● Pues son mi padre y mi hermano.
- ▲ ¡Ah! ¿Y tu hermano está soltero?
- ● No, mujer. Está casado y tiene tres hijos. Nuestra familia es muy grande.
- ▲ ¿Y esta? ¿Es tu mascota?
- ● No, es de mi padre. Es su compañera.

10 ▶ 18
Mis amigos son muy importantes para mí. Por eso quiero escribir sus cumpleaños junto a sus fotos. ¿Me ayudan?

Carlos es mi amigo desde niños. Es muy alto y delgado, lleva gafas y tiene el pelo largo y rubio. Lleva barba y bigote. ¡Como un *hippie*! Pero en realidad es muy serio y tímido. Su cumpleaños es el dos de mayo.

Susana es algo mayor, tiene ojos oscuros y pelo rubio y corto. Es bajita y gordita, pero muy divertida y alegre. Es la compañera perfecta para las fiestas. ¿Que cuándo es su cumpleaños? El dieciocho de febrero.

Juana y Jimena son unas gemelas muy simpáticas y sociables. Tienen el pelo corto y moreno, y no son muy altas. Las dos tienen los ojos azules. Su cumpleaños es el treinta y uno de noviembre.

14a ▶ 19
1. personas, 2. pero, 3. respuesta, 4. arroz, 5. marido, 6. sobrina, 7. primo, 8. rubia, 9. Aurora, 10. ritmo, 11. hermana, 12. correo.

14c ▶ 20
Erre con erre cigarro,
erre con erre barril,
rápido ruedan los carros
cargados de azúcar del
ferrocarril.

UNIDAD 6
MI BARRIO

4b ▶ 21
- ● Hola, ¿Diego? ¿Eres tú?
- ▲ Sí, sí, mujer, soy yo. ¿Qué pasa?
- ● Perdona, es muy tarde, pero…

SOLUCIONES

UNIDAD 11 INTERCAMBIO DE CASA

1. SER: luminoso, grande, tranquilo, ruidoso, exterior
ESTAR: bien comunicado, en las afueras, en el centro, situado en una zona verde, a 5 km de
TENER: 120 m², ventanas a la calle, dos dormitorios, una terraza, ascensor

2a.

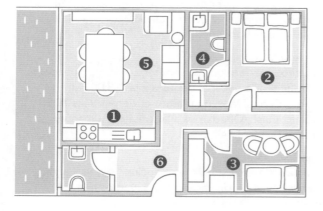

2b.

2 ¡Qué luminoso!
X ¡Qué baño tan moderno!
4 ¡Qué terraza tan grande tiene!
5 ¡Qué vistas tan bonitas!
1 ¡Qué grande es!
3 ¡Qué céntrico!

3. A silla – salón-comedor
B lavadora – cocina
C estantería – entrada
D escritorio – dormitorio pequeño
E armario – dormitorio pequeño
F sillón – salón-comedor

4a. *Posible solución:*
la ventana – (la cama): La ventana está detrás de la cama.
los libros – (la estantería): Los libros están en la estantería.
la alfombra – (la cama): La alfombra está debajo de la cama.
la silla – (el escritorio): La silla está enfrente del escritorio.
el gato – (la cama y la estantería): El gato está entre la cama y la estantería.
las flores – (el escritorio): Las flores están sobre el escritorio.

4b.

5.
A
Modelo: Cénit
Tamaño: 27 cm
Color: blanca
Precio: 19 €

B
Modelo: Ágatha
Tamaño: 27 cm
Color: gris
Precio: 75 €

C
Modelo: Tritón
Tamaño: 40 cm
Color: negra
Precio: 75 €

6. 1. El piso en Salamanca es <u>menos</u> grande <u>que</u> la casa en Jaén.
2. La casa es <u>más</u> luminosa <u>que</u> el piso de Salamanca.
3. El piso es <u>tan</u> tranquilo <u>como</u> la casa.
4. La casa es <u>menos</u> céntrica <u>que</u> el piso.
5 El piso es <u>más</u> pequeño <u>que</u> la casa.
6. Para una familia, la casa es <u>mejor que</u> el piso.

7. 1. El sofá es más caro que el sillón.
2. La silla es más barata que la mesa.
3. El piso es más grande que el estudio.
4. El jardín es menos pequeño que la terraza.
5. El dormitorio es tan luminoso como el salón.

SOLUCIONES

6. La lámpara verde es menos moderna que la lámpara amarilla.
7. El estudio es más tranquilo que el piso.
8. El chalé es menos céntrico que el apartamento.

8. **1.** tú **2.** usted **3.** usted **4.** tú **5.** tú **6.** usted
7. tú **8.** tú **9.** usted **10.** tú

9a. **1.** *cruzan*, toman, giran
2. tomar, seguir, girar
3. toman, giran, Siguen, giran
4. Cruzan, siguen

9b.

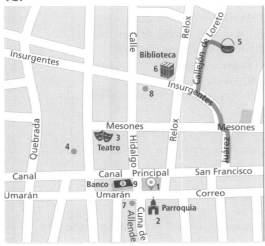

9c.

1. verdadero	**4.** verdadero
2. falso	**5.** falso
3. falso	**6.** falso

10. **1.** c; **2.** e; **3.** f ; **4.** a; **5.** d; **6.** b

11.
1. ¡Qué terraza tan bonita tiene usted!
2. ¡Qué apartamento tan luminoso has comprado!
3. ¡Qué céntrico es tu piso!
4. ¡Qué vistas tan increíbles se ven desde el salón!
5. ¡Qué bien comunicado está tu piso!
6. ¡Qué baño tan moderno tienes!

12. **1.** bonito/a; **2.** barato/a; **3.** grande; **4.** tranquilo/a;
5. interior; **6.** bien comunicado/a; **7.** luminoso/a;
8. moderno/a

13. *Respuesta libre*

14. *Posible solución:*
MUEBLES: *el armario*, la cama, la mesa, la silla, el sillón, el sofá, el escritorio, la estantería...
ELECTRODOMÉSTICOS: cocina, lavavajillas, lavadora, nevera...
TIPOS DE CASAS: estudio, piso, chalé...
OTROS: lámpara, alfombra...; terraza, jardín, piscina...; baño, dormitorio, entrada, salón-comedor, cocina americana...

Test 1. b; **2.** c; **3.** b; **4.** c; **5.** b; **6.** a; **7.** c; **8.** b; **9.** c; **10.** c;
11. b; **12.** b; **13.** b; **14.** a; **15.** c; **16.** b; **17.** a; **18.** c;
19. b; **20.** c

UNIDAD 12   ESTA ES MI VIDA

1.

Verbos regulares	yo	tú	él/ella/usted	nosotros/-as	vosotros/-as	ellos/ellas/ustedes
trabajar *en Estados Unidos el año pasado*	trabajé	trabajaste	*trabajó*	trabajamos	trabajasteis	trabajaron
conocer *a mi novio a los 21 años*	conocí	conociste	conoció	conocimos	conocisteis	*conocieron*
vivir *en Francia de 2010 a 2015*	*viví*	viviste	vivió	vivimos	vivisteis	vivieron

SOLUCIONES

Verbos irregulares	yo	tú	él/ella/usted	nosotros/-as	vosotros/-as	ellos/ellas/ustedes
ser *un arquitecto muy famoso*	fui	fuiste	fue	fuimos	fuisteis	fueron
ir *a México en 2010*	fui	fuiste	fue	fuimos	fuisteis	fueron
tener *un hijo en 1996*	tuve	tuviste	tuvo	tuvimos	tuvisteis	tuvieron

2a. B – pint-AR; A/C – nac-ER; A/C – sal-IR

2b. Los verbos terminados en -ER y en -IR tienen en indefinido las mismas terminaciones.

3. 1. falso
2. falso
3. verdadero
4. falso
5. falso
6. verdadero
7. falso
8. verdadero

4.

¿Cuándo?	P/I
1. en 2014	I
2. todos los miércoles	P
3. cada año	P
4. ayer	I
5. en la última fiesta	I
6. el año pasado	I
7. los martes	P

5a.
1. Nací en Madrid a principios del siglo XX.
2. Me casé con Santiago a los 20 años.
3. Tuve un hijo en 1930.
4. Abandoné a mi marido y a mi hijo a los ocho meses.
5. Viajé con un comunista francés a Argentina.
6. Fui a Rusia un año después.
7. Volví a España en 1939, después de la Guerra Civil.
8. Fui espía de los ingleses durante la Segunda Guerra Mundial.

6. 1. nació
2. salió
3. Llegó
4. Cambió
5. se casó
6. tuvieron
7. fue, nació
8. volvió

7. Posible solución:
1. Empecé a tocar el piano a los cinco años.
2. El mes pasado organizaste los cursos para todo el semestre con tu jefa.
3. ¡Alberto empezó ayer a trabajar en el banco!
4. Busqué información sobre mi abuelo.
5. La semana pasada organizasteis una fiesta con todos vuestros amigos.
6. Marta buscó tu número de teléfono, pero no lo encontró.

8. 1. Frida conoció a Diego a los 16 años.
2. Frida organizó Ø muchas fiestas en su Casa Azul.
3. Diego pintó Ø acontecimientos históricos en sus murales.
4. Frida pintó a su padre y a varios amigos en sus cuadros.
5. Diego y Frida conocieron Ø los Estados Unidos en los años 30.
6. El comité organizó Ø las festividades del "mes de Frida".

9. 1. c; **2.** e; **3.** a; **4.** f; **5.** g; **6.** b; **7.** h; **8.** d

10. *Posible solución:*
1. Pues sí, claro. ¡Qué bien!
2. ¿Una fiesta? No puedo. Es que tengo que trabajar.
3. No, lo siento, no podemos.
4. Pues a ver…, creo que no tenemos nada… Vale.
5. Sí, claro, con mucho gusto vamos.
6. Gracias por la invitación, pero no puedo.

11.
1. sabe, puede
2. puede
3. sé
4. saben, pueden
5. sabes – puedo
6. Sé
7. podemos
8. sé

12.a. muy mal, **bastante mal**, regular, bastante bien, **muy bien**
Posible solución:
1. Mi esposo juega bastante bien al tenis.
2. Agnes habla inglés bastante mal.
3. Mi hija pinta con acuarela muy bien.
4. Mi madre toca la guitarra regular.

SOLUCIONES

12b. *Respuesta libre*

13. 1. nacer **2.** casarse **3.** divorciarse **4.** reunirse
5. viajar **6.** trabajar **7.** jubilarse **8.** invitar **9.** llegar
10. salir **11.** reunirse **12.** divertirse

14. 1. ser; **2.** ser; **3.** ir; **4.** ser; **5.** ir; **6.** ir; **7.** ser; **8.** ser

15. *Respuesta libre*

16.

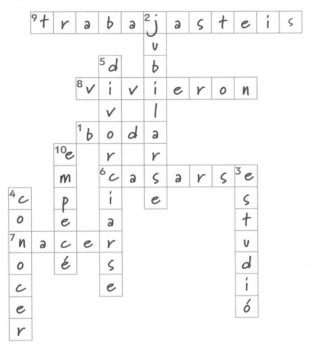

Test 1. c; **2.** b; **3.** a; **4.** b; **5.** b; **6.** c; **7.** a; **8.** c; **9.** b; **10.** c;
11. b; **12.** a; **13.** b; **14.** b; **15.** b; **16.** a; **17.** c; **18.** b;
19. a; **20.** b

IMPRESIONES A1
Cuaderno de ejercicios

FOTOGRAFÍAS: Shutterstock, de las cuales, solo para uso de contenido editorial: pág. 30: B: Iakov Filimonov / Shutterstock.com, C: Lipskiy / Shutterstock.com, D: Iakov Filimonov; pág. 40, 1: Victority / Shutterstock.com, 3: Vlad Teodor / Shutterstock.com; pág. 42 y pág. 44 (6): Tupungato / Shutterstock.com; pág. 44: 1: Iakov kilimonov / Shutterstock.com, 4: Route66 / Shutterstock.com, 7: Leonid Andronov / Shutterstock.com; pág. 59: Mego-Studio / Shutterstock.com; pág. Anton _ Ivanov / Shutterstock.com. Pág. 83: Julia Navarro: archivo SGEL.